COLLECTION
LITTÉRATURE JEUNESSE

DIRIGÉE PAR ANNE-MARIE AUBIN

UN JARDINIER POUR LES HOMMES

UN JARDINIER POUR LES HOMMES

NICOLE LABELLE RUEL

ROMAN

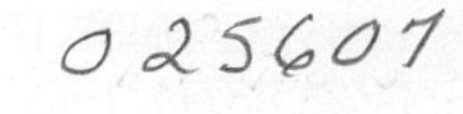

ÉDITIONS QUÉBEC/AMÉRIQUE

425, rue Saint-Jean-Baptiste,
Montréal, Québec H2Y 2Z7
(514) 393-1450

Données de catalogage avant publication (Canada)

Labelle-Ruel, Nicole

Un jardinier pour les hommes

(Collection Littérature jeunesse ; 2)

ISBN 2-89037-590-0

I.Titre II. Collection: Collection Littérature jeunesse (Québec/Amérique) ; 2.

PS8573.A23J37 1992 jC843'.54 C92-096135-5
PS9573.A23J37 1992
PZ23.L32Ja 1992

Dépôt légal:
1e trimestre 1992
Bibliothèque nationale du Québec
Bibliothèque nationale du Canada

Montage: Caroline Fortin

... Je me penchai sur ce front lisse, sur cette douce moue des lèvres et je me dis: voici un visage de musicien, voici Mozart enfant, voici une belle promesse de vie. Les petits princes des légendes n'étaient point différents de lui; protégé, entouré, cultivé, que ne saurait-il devenir? Quand il naît par mutation dans les jardins un rose nouvelle, voilà tous les jardiniers qui s'émeuvent. On isole la rose, on cultive la rose, on la favorise. Mais il n'est point de jardiniers pour les hommes...

Terre des hommes
(Saint-Exupéry)

CHAPITRE 1

Ouais! Parler devant cinq cents étudiants!

Je regrette quasiment d'avoir dit oui.

Veux-tu bien me dire ce qui m'a pris?

Les entretenir du Pérou, des bidonvilles, des sans-abri, c'est bien beau, mais voudront-ils m'écouter?

J'avais accepté d'être le porte-parole pour une campagne de souscription en faveur du Pérou.

Aussi, le directeur d'une école secondaire m'avait approché pour présenter ce projet aux étudiants de son école. Évidemment, j'avais accepté avec un très grand plaisir. Les jeunes ont une très grande importance dans toutes les campagnes de sensibilisation: ils se mobilisent plus facilement que les adultes.

Depuis une semaine, je préparais soigneusement mon introduction. Que dire à ces jeunes pour les intéresser à cette cause? Je ne voulais surtout pas rater ma conférence pour un détail que j'aurais passé sous silence ou pour une intervention mal placée.

Je calculais aussi l'effet de mon apparence. Je ne voulais pas projeter une image d'aisance financière, ni tomber dans le piège du bonhomme de quarante ans déguisé en jeune pour se faire accepter. J'avais choisi l'allure passe-partout: l'air dégagé, vêtements décontractés et chaussures sport. Par contre, mes cheveux poivre et sel me donneraient l'allure sérieuse que je tenais à garder.

Plus le temps avançait, moins j'étais sûr de moi.

Lundi, 4 mai, 10 heures

Encore plus stressé!

J'ai hâte que ce soit terminé.

Serai-je accepté?

Quels sont les mots qui touchent les jeunes de treize à seize ans?

Inutile de me torturer l'esprit! Ma

qualité d'éternel célibataire ne me permet pas de répondre.

Ça fait longtemps que je n'ai pas mis les pieds dans une école.

Mais ça n'a pas changé: guère plus attrayant!

Mon attaché-case à la main, je trouve rapidement le secrétariat.

— Bonjour, madame, je suis Bernard Trudel. Je viens donner une conférence aux étudiants.

Salutations d'usage.

En compagnie du directeur, je longe un couloir qui nous mène à une salle bondée d'étudiants un peu chahuteurs.

Quel choc!

Au lieu des traditionnels étudiants assis sagement sur des bancs bien alignés, j'aperçois une foule bigarrée: les maillots multicolores, les bandeaux dans les cheveux, la gomme balloune, les shorts rallongés de collants, les jeans rapiécés, les foulards de corsaire sur la tête.

Tout ça est maintenant permis dans les écoles?

Ce sont surtout les taches de couleurs qui m'étonnent: violet, orange, fuschia, jaune serin. Dois-je trouver cela horrible ou sourire tranquillement comme si c'était normal?

Dans ma jeunesse, nous n'aurions jamais osé nous présenter à l'école ainsi vêtus.

Il faut dire aussi que nos parents ne nous auraient jamais laissés sortir attriqués comme ça!

Toute cette faune me regarde, pas du tout intimidée.

Fiou! L'école a fait du chemin depuis le temps!

Bizarre! C'est moi qui ne me sens plus du tout dans mon élément.

Dans l'ancien régime, le silence était de rigueur à peu près partout. Ici, on m'attend, certes, mais comme on attend l'autobus.

Curieuse génération!

Certains étirent leur gomme, tout en continuant la conversation avec le voisin de la troisième rangée d'en arrière. D'autres se dégourdissent les jambes dans l'allée. D'aucuns courent entre les bancs et je pense que quelques-uns poussent l'audace jusqu'à piquer un petit roupillon, les jambes bien allongées sur le siège d'en avant!

Présentations.

Petit sourire figé.

Je me sens le bienvenu à peu près comme un cheval dans un bol de soupe fumante: je dérange.

— Comme votre directeur vient de vous le dire, je suis ici pour...

Un léger murmure court encore, puis un silence poli, enfin, on daigne m'écouter.

Ouf! J'ai terminé! Je consulte ma montre, j'ai tenu le coup pendant quarante-cinq minutes. J'ai bien décrit mon sujet. Je pense que j'ai réussi à accrocher les étudiants.

Pendant la conférence, je n'ai remarqué que des visages attentifs à mon discours... et des bouches qui mastiquaient. Ça doit aller de pair!

Suit la période de questions.

Celles-ci montrent bien l'intérêt que les étudiants portent à la cause que je défends. Ils sont sensibles, j'avais bien raison.

J'ai gagné mon point, j'en suis fier.

Une cloche retentit.

La bousculade générale!

On m'avait prévenu que les élèves quitteraient le local promptement, mais quand même!

La tenaille de l'estomac, c'est fort!

Le directeur glousse un petit rire gêné.

Je sors, toujours flanqué de mon présentateur qui tient à me remercier.

Une bousculade d'étudiants dans le corridor attire notre attention. Mon compagnon s'excuse et s'interpose entre deux garçons.

Il en saisit un par le bras: «Encore toi! Décidément, on te retrouve partout de ce temps-ci!»

Je regarde le garçon de loin.

De grande taille, le port de tête agressif, le voilà qui s'avance vers moi.

Je fixe sans vergogne la touffe de cheveux décolorés qui pend tantôt sur l'oreille, tantôt sur l'œil droit.

Je dois paraître complètement estomaqué car le garçon paraît ravi de l'effet qu'il produit: le rictus au coin de la bouche me le montre bien.

Il a l'air d'un grand efflanqué qui condescend à jeter un œil sur la populace.

Puis, d'une seconde à l'autre, des yeux furibonds, noirs, qui me regardent sans sourciller.

Une étincelle!

Cette figure-là me dit quelque chose. Ça éveille en moi un souvenir! Mais quoi?

Oui, oui, je le sais, c'est le petit qui s'était buté sur moi, il y a quatre ou cinq ans. Je prenais l'air entre deux clients quand un petit bonhomme m'avait heurté.

Un cri m'échappe, presque malgré moi: «Alain!»

L'énergumène en face de moi semble

animé d'une rage sourde, contenue.

— Vous vous connaissez?

Comment répondre à cette question sans dévoiler un morceau de ce passé que j'ai voulu oublier?

— Oui, il m'a reconduit chez moi une fois.

C'est Alain qui répond.

Il résume tout en une phrase cinglante pour moi, innocente pour les autres.

— Ça va bien, Alain?

Je lui tends la main.

Je le regrette aussitôt: il la laisse pendante.

— Tu parles! Ça roule au max!

Silence gêné, rompu par le directeur.

Il veut prendre le garçon par le bras, mais celui-ci se libère aussitôt d'un coup de coude.

— Ça va, j'ai compris!

— O.K. je n'insiste pas, va donc te défouler au gymnase.

Là-dessus, il m'entraîne vers la sortie.

Mécaniquement, je le suis, encore sous le choc de cette rencontre.

— C'est un élève avec qui nous avons un peu de misère ces temps-ci. Il est en pleine crise d'adolescence. Il se révolte contre tout le système. Il est souvent mis à la porte de ses cours, ses professeurs se plaignent de son agressivité, de ses impolitesses; enfin, je ne vois pas pourquoi je vous raconte tout ça.

— Ça m'intéresse. Quand je l'avais rencontré, il y a de cela quatre ou cinq ans, il était très attachant.

— Vous savez, il doit avoir terriblement changé. En fait, surtout depuis quelques mois. Ses professeurs me l'ont souvent décrit comme un enfant renfermé, complètement introverti et qui ne se mêle pas facilement aux autres. On ne lui connaît pas d'amis, à l'école, en tout cas. On soupçonne des gros problèmes d'ordre familial. Vous savez, nous vivons à l'école les conséquences de ce qui se passe à la maison.

Plusieurs images se juxtaposent dans mon cerveau.

Des souvenirs affluent dans ma mémoire.

— Voici justement son titulaire. Si vous voulez lui parler, je vous présente: M. Bernard Trudel, Mme Robinson. M. Trudel s'intéresse au cas d'Alain Dupuis. Je vous laisse, le devoir m'appelle. Merci encore, Monsieur Trudel, je pense que les étudiants vous ont apprécié.

Poignée de main. Au revoir.

— Vous êtes un parent, un ami de la famille?

— Non.

— Alors, à quel titre?

Je comprends sa méfiance.

L'éclair vif de ses yeux, ses tempes grises, la force dans sa poignée de main et son sourire témoignent de sa bonté: c'est une femme d'expérience, digne de confidences.

Tout m'incite à lui raconter ma courte escapade avec Alain et ma version du «il m'a reconduit chez moi».

— Voulez-vous que je vous raconte exactement ce qui s'est passé quand je l'ai vu pour la première fois?

— Bien oui, pourquoi pas? Mais, si vous le permettez, nous nous installerons dans une classe.

«Je m'en souviens comme si c'était hier. Il doit bien y avoir cinq ans que ça s'est passé. Un après-midi d'été, j'allais un peu au hasard, plutôt je prenais l'air avant d'aller m'enfermer dans un autre bureau enfumé. Tout à coup, un enfant m'a accosté. Il m'a regardé en silence et m'a dit: "J'ai faim, je suis tout seul, veux-tu que j'aille avec toi?"

«Je n'avais pas tellement de liberté de mouvement, j'avais des rendez-vous, j'avais l'esprit occupé ailleurs.

«Ma première réaction a été: qu'est-ce qu'il lui prend? Je ne suis pas son père, je ne le connais pas.

«Puis je l'ai regardé et j'ai hésité, ne me demandez pas pourquoi.

«Et j'ai tendu la main à mon petit bonhomme. Il l'a refusée, a enfoncé ses poings dans ses poches et il a commencé à marcher d'un bon pas. Je l'ai suivi, intrigué.

«Il m'a conduit dans un tout petit restaurant et a commandé d'un ton décidé ce qu'il voulait manger. Il a tout avalé sans dire un mot et la dernière bouchée engloutie, il m'a regardé droit dans les yeux et m'a dit: "Merci". Puis il m'a souri.

«Alors je lui ai demandé s'il voulait que j'aille le reconduire chez lui. Il m'a répondu que non parce que je lui avais dit qu'il pouvait venir avec moi.»

— Il voulait s'en aller avec vous, chez vous, immédiatement?

— C'est ce qu'il avait compris. Alors j'ai essayé de discuter, de lui faire comprendre que ses parents seraient inquiets et qu'ils le chercheraient. Il m'a dit que ses parents n'existaient plus.

— C'est bizarre!

— J'ai essayé de lui faire dire la vérité mais il n'a jamais voulu. Alors je n'ai pas insisté: c'était clair qu'il ne changerait pas d'idée.

«Je me souviens d'avoir regardé l'heure, j'étais en retard, et j'avais cet enfant-là devant moi qui ne voulait pas me quitter.

«Je me sentais devenir impatient pendant que lui regardait droit devant lui, sûr d'obtenir ce qu'il attendait de moi.

«Je ne savais vraiment pas quelle décision prendre, je n'avais pas le temps d'alerter les policiers ni de rien faire d'autre.

«Alors je pense que j'ai dû vouloir sauver du temps.

«Je vous le répète, je ne sais pas trop ce qui m'a pris: je lui ai dit que ça allait pour aujourd'hui, qu'il pouvait rester avec moi. Mais il devrait m'attendre dans la voiture pendant mon rendez-vous.

«Il était d'accord.

«Je sais très bien que je n'aurais pas dû faire ça, ne me regardez pas comme ça.»

— Excusez-moi, je ne vous jugeais pas.

«Quand je suis revenu, il dormait.

«Je me souviens de m'être assis sans bruit à côté de lui et de l'avoir bien regardé. C'était tellement nouveau pour moi d'avoir un enfant dans ma voiture. Cette irruption soudaine dans ma vie, c'était comme un rêve.

«Vous savez, il y a cinq ans, c'était un bel enfant, mince, aux traits réguliers. Évidemment il n'avait pas cette couette de cheveux décolorés dans le visage. Il était habillé comme tous les enfants de son âge: des espadrilles, des jeans et un chandail. Il n'était ni plus propre ni plus sale que les autres enfants. Je ne pouvais donc pas deviner de quel milieu social il venait.

«Ce qui m'avait frappé dans son visage, c'étaient ses yeux. Ils étaient noirs, noirs comme du charbon: ils vous regardaient bien en face et ne clignaient pas, les yeux d'un enfant qui sait ce qu'il veut.

«C'est vrai que je ne m'y connais pas tellement, mais il me semble qu'à cet âge-là, les enfants ont les yeux plus naïfs, plus tendres. Pas lui! Ce sont ces yeux-là que j'ai reconnus tantôt.

«En attendant qu'il se réveille, j'ai réfléchi: je ne pouvais pas le garder et lui ne voulait pas retourner chez lui. La police? Non! Je ne voulais pas de cette solution-là, elle me semblait trop radicale. Il fallait que je le convainque. Ou bien...

«Je vivais seul dans un appartement confortable, en vieux garçon, je l'avoue, mais je n'allais certainement pas virer ça à l'envers pour un enfant qui sortait de nulle part et voulait me choisir comme son second père. Vous me comprenez, n'est-ce pas?»

— Bien sûr.

— Puis d'un autre côté, je ne savais pas pourquoi, mais quelque chose d'intangible m'attirait chez cet enfant. Il était honnête, j'en aurais juré. Et cette assurance qu'il manifestait me plaisait beaucoup. Il me semblait aussi avoir souffert. On ne demande pas à un inconnu de peupler son monde sans motif valable. Mais comment pouvais-je intervenir?

— Il est toujours aussi attachant, c'est ce qui fait son charme ou son côté manipulateur...

— J'étais dans un cruel dilemme: d'un côté, il fallait le retourner à ses parents et de l'autre, je ne le voulais pas. Je ne me reconnaissais pas. Je suis allé chez un autre client mais j'étais incapable de penser. Alors j'ai décidé de rentrer chez moi.

— Vous aviez encore Alain dans votre voiture?

— Il dormait. Étonnant, n'est-ce pas? Mais j'imagine que les enfants ont la capacité de dormir n'importe où, n'importe quand. Je l'ai réveillé quand je suis arrivé chez moi. Il ne s'est pas fait prier et il m'a suivi dans mon appartement.

«Mon appartement n'a rien pour amuser des enfants et je n'avais rien à lui proposer non plus. Heureusement, il m'a demandé d'écouter la télévision. Bien sûr! Ça nous sauvait du silence gêné qui était en train de s'installer!

«Puis j'ai commencé à lui poser des questions: combien ils étaient dans sa famille, s'il vivait avec ses parents.

«Il m'a répondu candidement à la première mais il s'est arrêté immédiatement après, sentant qu'il venait de se trahir. Il a fallu que j'insiste beaucoup pour lui faire dire qu'effectivement, il vivait bien avec ses parents. Il était au bord des larmes. Moi, ça m'a troublé. Ce n'était pas ce que j'avais voulu: j'avais été bien maladroit.

«Je lui ai proposé de manger une pizza. Il m'a aidé à mettre la table et quand la pizza est arrivée, il lui a fait honneur très rapidement.

«C'était nouveau pour moi de manger avec un enfant. Je me sentais un peu mal à l'aise: je savais bien que cet enfant n'aurait pas dû être là. Je l'ai laissé manger, je n'osais plus le questionner de peur de le voir se fermer définitivement. J'avais peur aussi de ne pas trouver les mots qui convenaient.

«Je lui ai simplement demandé son nom: Alain.

«Après, c'est lui qui m'a bombardé de questions: si je vivais tout seul, où j'allais l'installer, qu'est-ce que j'allais lui acheter. Ouf!!!

«Je lui ai dit mon nom. C'était difficile pour moi de répondre aux autres questions: il devenait de plus en plus clair qu'il devait retourner chez lui même si le contraire avait pu m'effleurer l'esprit.

«De toutes façons, il ne m'écoutait plus, il s'étais mis à fureter dans l'appartement, probablement à la recherche d'une occupation ou d'un jeu.

«Mais je n'avais rien, rien en dehors de mon travail.

«À un moment donné, il m'a demandé l'heure: huit heures!

«Je voyais bien qu'il s'ennuyait, qu'il pensait probablement aux activités habituelles de sa famille.

«Je le lui ai demandé. Il s'est récusé immédiatement, comme s'il se sentait pris en défaut. Il m'a répondu sur un ton agressif, le même ton avec lequel il m'avait parlé de sa famille.

«Comme on ne savait pas trop quoi faire ni quoi dire, je lui ai proposé de faire une balade en auto. Cette idée lui a plu.

«J'ai roulé vraiment sans but tout en essayant de lui poser des questions inoffensives: son âge, ses amis. J'ai essayé de lui faire comprendre que ses amis seraient tristes en ne le voyant plus, ses parents aussi... Rien à faire.

«Puis, il m'a demandé de retourner chez moi. Je ne comprenais pas pourquoi: il avait tellement l'air emballé de cette promenade au début.

«J'ai réalisé que sans m'en rendre compte, j'avais pris le chemin habituel vers le lieu de mon travail. C'était dans ce quartier que j'avais rencontré mon bonhomme au cours de l'après-midi.

«Je tournai à une intersection quand il m'a presque crié: "Non, pas là!" Trop tard, je ne pouvais plus reculer. Il y avait un attroupement. Je suis allé aux nouvelles. Alain se cachait dans le fond de la voiture.

«C'est vite devenu clair qu'il habitait dans cette rue-là quand des gens m'ont raconté qu'un enfant avait disparu et qu'on le recherchait.

«Vous ne devinerez jamais ce que j'ai fait.»

— Vous ne l'avez pas rendu à ses parents.

— Enfin, pas tout de suite. Mais comment avez-vous fait pour deviner?

— Je pense qu'avec ce que vous me racontez depuis tantôt, vos hésitations, vos questionnements, c'était prévisible.

— Ah bon! En tout cas, Alain, lui, ne

l'avait pas prévue celle-là. Quand je suis remonté dans la voiture, que j'ai réussi à me faufiler et que je suis reparti en direction opposée, il m'a regardé complètement abasourdi. Il avait l'air totalement dépassé et ne comprenait plus rien.

«Remarquez que moi non plus, je ne me reconnaissais pas.

«Je me disais que j'allais appeler ses parents pour les prévenir que leur fils était avec moi et que je leur remettrais le lendemain.

«Comme on passait devant un petit restaurant, j'ai offert à Alain d'aller lui chercher une boisson gazeuse.

«Quand je suis revenu avec le Coke, plus de traces d'Alain! Il ne pouvait pas être allé bien loin. Je suis parti à sa recherche à pied. Soudain, je l'ai aperçu dans une ruelle, qui marchait la tête basse en traînant les pieds. Je lui ai mis la main sur l'épaule. Il m'a dit que ses parents allaient le battre.

«Je lui ai demandé si c'était la première fois qu'il partait. Il m'a répondu que non. Nous nous sommes assis sur un banc dans l'autre rue. Alors il s'est jeté dans mes bras et s'est mis à pleurer à m'en fendre le cœur.

«Je ne savais plus quoi dire ni quoi faire. Mais il devait bien y avoir une solution.

«Tout en lui caressant les cheveux, je

l'ai interrogé: "Qu'est-ce qu'il faudrait pour que tu sois heureux?"

— Est-ce qu'à neuf ans, il était capable de répondre à cette question-là?

«Faut croire que oui parce qu'il m'a simplement dit: "Que mes parents m'aiment."

«Ç'a été lancé comme un coup de poing. Comment répondre à une demande aussi simple, aussi naturelle?

«Pour moi, c'était tellement normal que des parents aiment leurs enfants. Alain avait sûrement tort. Il y avait eu une chicane mais ça se replacerait au moment où il consentirait à écouter son père et sa mère. Il avait l'air d'un enfant rebelle et il ne devait pas être facile à élever.

«J'ai essayé de le raisonner, de lui dire que ses parents l'aimaient à leur façon, qu'ils étaient peut-être fatigués... enfin vous savez ce qu'on peut dire dans ces cas-là.»

— Mais il refusait de vous écouter.

— Non seulement ça, mais il me racontait tellement de détails de sa vie qu'il a fini par m'ébranler un peu. C'était comme s'il me révélait tout un nouveau monde! À condition que ce fût vrai! Mais je n'avais aucun moyen de le vérifier.

— Même si ça avait été vrai, auriez-vous pu faire quelque chose?

— Non, je ne le crois pas. Je me sentais tellement impuissant devant ce garçon-là. Alors j'ai fait la seule chose que je pouvais décemment faire à ce moment, je lui ai offert d'être son ami. Je lui ai expliqué ce que j'entendais par là mais je sentais bien que ce n'était pas ce qu'il voulait.

«Il m'a répliqué que c'était un père qu'il voulait, un vrai avec qui il pourrait parler, un vrai qui l'aimerait et le serrerait dans ses bras, qui le traînerait avec lui le samedi matin pour laver l'auto.

«J'avais devant moi un enfant qui réclamait une part d'amour à laquelle il avait droit et qu'on ne lui avait jamais donnée. J'essayais bien de ne pas le laisser voir mais j'étais complètement bouleversé. J'étais de plus en plus persuadé qu'il avait raison mais comment en être sûr?

«J'ai fini par lui dire que je parlerais à ses parents et que ça allait s'arranger.

«Au moins, il ne refusait plus l'idée de retourner chez lui. C'était déjà ça de gagné! Je lui ai donné mon numéro de téléphone en lui disant que je serais toujours disponible pour lui.»

— Il ne vous a sûrement pas rappelé?

— Bien non. C'était à prévoir. Attendez de connaître la suite.

«Il était presque minuit quand nous

sommes remontés dans la voiture. Pas un mot durant le trajet. Quand nous sommes arrivés chez lui, vous devinez bien que ça ne s'est pas arrêté là: la cohue, les policiers. Normal, en pareille circonstance.

«Nous sommes parvenus à nous faufiler sans attirer l'attention. Pendant que nous montions les marches, deux policiers sont sortis du logement, suivis des parents.

«Trente secondes et la mère s'est précipitée en larmes vers son fils et le père m'a regardé en silence. Puis il m'a tendu une main molle et m'a murmuré un merci forcé, entre les dents. La mère m'a remercié à son tour mais elle voulait avoir des détails.

«J'ai commencé par expliquer que je n'avais rien à dire mais quatre paires d'yeux étaient braqués sur moi et je n'ai pas eu le choix.

«J'ai pénétré dans le logement. J'ai eu droit au questionnaire en règle des policiers. J'ai répondu du mieux que j'ai pu en omettant bien sûr tout ce qui était compromettant pour Alain.

«La mère m'offrait du café et des gâteaux pendant que je sentais Alain sur des charbons ardents et qu'une question lancinante hantait mon cerveau: Alain m'avait-il dit la vérité ou avait-il inventé une histoire pour se rendre intéressant?

«Les policiers sont enfin partis, dispersant la foule à l'extérieur, et je suis resté seul avec la famille.

«Le père s'est mis à grogner après son fils, à le harceler de questions. Je sais, c'était normal, mais vous auriez dû voir son regard: ses yeux étaient mauvais et j'avais l'impression qu'il se retenait parce que j'étais là.

«Avec la même agressivité, il s'est mis à me questionner: en fait, il me posait les mêmes questions que les policiers comme s'il n'avait pas entendu les réponses. J'ai pensé que la vérité, enfin ce qui s'était réellement passé depuis que j'avais rencontré Alain dans l'après-midi, il ne l'accepterait pas, que ça allait se retourner contre cet enfant-là. Alors je lui ai répété la même histoire.

«La mère a pris son fils par le bras en lui disant qu'il était rendu assez tard pour se coucher. Il s'est levé lourdement en me regardant et s'est dirigé vers sa chambre, suivi de sa mère.

«Le père m'a servi l'éternel couplet à propos de l'éducation, que c'était bien difficile d'élever les enfants, que tout était changé et tout le tralala. L'éternelle comparaison entre les deux générations, combien de fois je me la suis fait servir par des clients qui étaient complètement dépassés par l'attitude de leurs enfants. Je l'ai laissé parler. D'ailleurs, il n'avait pas besoin qu'on lui réponde.

«Je pense que c'est rare un homme aussi antipathique, aussi arriéré dans ses idées. Vous vous doutez bien qu'il y est allé de sa sortie contre l'école, affirmant que c'était elle la responsable de tous les maux de la société.»

— Oui, je connais le refrain.

— Enfin, je me suis tanné de l'entendre et j'ai demandé à dire bonsoir à Alain. La mère, qui sortait de sa chambre, m'a dit de ne pas le réveiller.

«Quand je suis entré dans la chambre, une petite voix m'appelait: «Bernard».

«Alain ne voulait pas que je le laisse là. Le temps que je compte les lits, il y en avait trois, et que je me rende au sien, il était déjà agrippé à mon cou et sanglotait. Que dire?

«Les choses qu'on répète dans ce temps-là, quand on ne sait pas quoi dire d'autre: qu'il était fatigué, que demain, ça irait mieux, qu'il fallait qu'il aide ses petits frères qui étaient couchés à côté de lui, enfin vous savez ça aussi bien que moi.

«J'ai dénoué ses bras, l'ai recouché et je

suis sorti de sa chambre: il fallait faire face à ses parents mais c'était au-dessus de mes forces.

«Ils voulaient me garder pour que je leur donne des détails sur la soirée.

«J'ai prétendu avoir un travail urgent à finir pour le lendemain.

«Les remerciements d'usage et les bonsoirs.

«J'avais tellement hâte de sortir de là. Je me sentais coupable et lâche en même temps.

«Je ne pensais jamais le revoir ou plutôt, pour être honnête, j'espérais ne pas le revoir. Je ne suis jamais retourné dans sa rue. C'était comme une tache dans ma mémoire.»

— Oui, je vous comprends. Tout ça n'a pas été facile à vivre et le revoir a dû vous donner un choc.

— Il a bien changé. Le directeur m'a dit qu'il était agressif, insolent. Pauvre Alain! Les jeunes changent en vieillissant et ce n'est pas toujours pour le mieux.

— Oh, vous savez, ne le jugez pas trop vite. C'est probablement passager, une étape dans sa vie. J'ai rencontré Alain plusieurs fois en dehors des cours. J'ai conversé longtemps avec lui. Il a beaucoup de maturité, preuve qu'il a vécu des problèmes d'adulte. Il possède d'excellentes valeurs morales, même avec la crinière qu'il a: c'est tout simplement une façon de s'exprimer. Il a un bon jugement, et les deux pieds sur la terre. C'est un enfant qui est très articulé. Il est capable de verbaliser ce qu'il ressent. C'est même plutôt rare pour un jeune de son âge. Je sais que ses parents ne sont plus ensemble. Les enfants vont tantôt chez la mère, tantôt chez le père. Alain ne s'entend ni avec l'un, ni avec l'autre. D'ailleurs j'ai cru comprendre que son père ne voulait plus le voir. Le jeune m'a vaguement parlé d'une jeune amie de son père qu'il n'accepte évidemment pas...

— On ne peut pas dire qu'il est gâté par la vie.

— Ça semble peu réjouissant de l'extérieur mais comme il est un jeune homme très intelligent, il va s'en sortir quand même. Il faut juste accepter le fait qu'il décroche actuellement. Quand on le voit dans une perspective globale, c'est probablement sain ou normal. Il fait partie de cette catégorie de jeunes qui le font parce qu'ils ne peuvent pas décrocher de la famille ou d'eux-mêmes. Je pense qu'Alain nous fait savoir qu'il n'est pas heureux. Il ne veut cependant pas passer inaperçu: regardez sa coupe de cheveux, elle en dit long! Il s'est limité, pour le moment, à poser des gestes sans gravité. Je veux dire par là: harcèlement de profs et d'élèves, agressivité verbale contre tout le monde, bagarres avec d'autres jeunes. Je ne pense pas qu'il ait commencé à voler ou quelque chose du genre, parce que c'est un solitaire: il ne se tient pas en gang...

On ne peut pas dire qu'elle ne le connaît pas. Elle en a fait une véritable étude psychologique.

—... ça peut vous paraître bizarre mais je suis certaine que si on arrête de l'écouter, si on ne tolère pas un peu ses exutoires, il va pousser plus loin. En deuxième secondaire, ils sont nombreux les jeunes qui, comme lui, vivent des problèmes auxquels ils ne peuvent faire face. Qui leur fournit de l'aide? À qui peuvent-ils en parler? C'est lourd de garder ça en dedans, tout le temps! Je trouve malheureux que très souvent nous autres, les adultes, nous réagissions quand il est trop tard, quand ils sont passés aux actes: automutilation, dépression, tentative de suicide, agression sur des élèves ou des profs. On dirait que nous intervenons uniquement quand c'est l'état de crise. Mais, vous savez, j'ai l'air de parler d'autorité et pourtant le dépistage n'est pas toujours facile: nous ne sommes pas toujours capables de décoder les messages qu'ils envoient. Malheureusement, parfois, nous intervenons trop tard. Quand ça se produit, c'est l'impuissance totale, surtout la culpabilité. C'est un monde complexe, il n'y a pas de recette miracle.

Une fraction de seconde, je sens, sur ma nuque, un regard insistant.

Je détourne les yeux de mon interlocutrice.

En même temps, la porte s'ouvre violemment.

— Vous parlez de moi, je suppose?

— Oui.

— Puisqu'il s'agit de moi, vous allez parler en ma présence.

Je reconnais le ton autoritaire de l'enfant qui décidait de s'installer chez moi, il y a cinq ans.

— Parfait, Alain, tire-toi une chaise.

L'enseignante lui parle calmement. Tout va tellement vite pour moi que c'est comme au cinéma.

— Je voudrais bien savoir ce que t'es venu faire ici...

Visiblement, c'est à moi qu'il s'adresse.

—... T'as pas d'affaire ici, ma vie ne te regarde pas. T'as refusé une fois de t'en mêler, alors que moi, je voulais... Tu viens peut-être faire une enquête sociologique, regarder comment un jeune essaie de s'en sortir tout seul, sans personne pour l'aider? C'est ça, hein? Ben, t'es resté en dehors une fois, continue, j'ai pas besoin de toi. Fiche le camp d'ici. L'école, c'est pas ta place!

Et il sort aussi rapidement qu'il était rentré.

Je demeure sidéré sur ma chaise.

Je n'ose lever les yeux sur la professeure.

Comment réagir devant un tel comportement?

Puis une bouffée de colère m'envahit. J'explose.

— Je n'ai rien fait, moi, à cet enfant-là, sinon ce que je pensais être bien pour lui! Pour qui il se prend pour m'attaquer comme ça? Ce n'est pas parce qu'un jour le hasard l'a mis sur mon chemin que je suis responsable de tout ce qui lui arrive. Qu'est-ce qu'il lui prend de m'agresser comme ça? Je l'ai recueilli un soir et ça lui donne le droit de m'insulter? Il exagère. Mais ça ne se passera pas comme ça, je vais aller lui dire ce que je pense de lui...

Une main sur mon bras.

— C'est de cette façon-là que les adolescents nous montrent qu'ils sont malheureux. C'est de cette façon-là que les jeunes nous disent qu'ils veulent qu'on s'occupe d'eux. Ils nous crient le contraire de ce qu'ils pensent. Faut pas lui en vouloir...

Calmement, patiemment, elle défait l'inextricable.

— ... C'est à vous qu'il est venu parler. Ce n'est pas à moi. Il s'est senti repoussé voilà quelques années. Il en est resté blessé, c'est normal, il vient vous blesser à son tour. Il vit le même rejet avec son père, ne l'oubliez pas. Mais il vous l'a dit et c'est positif. À son père, il ne l'a sûrement pas dit. Nous craignons beaucoup plus pour les adolescents qui ne crient pas leur haine. Ils la gardent au fond d'eux-mêmes et ils l'entretiennent de façon malsaine.

— C'est incroyable! Vous me dites que c'est normal et même souhaitable qu'il m'insulte. C'est le monde à l'envers.

— Oui, c'est ça.

— Ben voyons!

— Croyez-en mon expérience des jeunes. Tant qu'ils manifestent, on a des chances de les sauver.

— D'habitude, je réagis quand on m'attaque. Mais là, je me sens totalement impuissant.

— Vous ne vivez pas avec des enfants. Ils sont comme ça, faut les accepter tels qu'ils sont. Faut les aimer, juste leur tendre des perches pour qu'ils sachent que la personne-ressource est là, s'ils désirent faire appel à elle. Mais il faut quand même intervenir avant que ne se produisent des drames.

— Qu'est-ce que je peux faire?

— Je ne sais pas. Laissez-lui votre porte ouverte. Peut-être qu'il va vous faire signe.

— Oui. Enfin, merci.

Je me lève. Je ne veux plus continuer cet entretien. Mme Robinson me conduit à l'entrée principale de l'école. Beaucoup d'étudiants viennent la saluer, lui mettent la main sur l'épaule.

On l'entoure, on en profite pour lancer un coup d'œil à la dérobée dans ma direction. Il y a même une étudiante qui me glisse qu'elle a bien aimé la conférence.

Le climat semble plus sympathique qu'à mon entrée dans l'école.

L'enseignante me tend une main chaleureuse et me regarde droit dans les yeux: «S'il se manifeste, faites-moi signe. Voici mon numéro de téléphone.»

— Merci. Peut-être, à bientôt.

Rageusement, les doigts crispés sur mon porte-documents, je gagne le terrain de stationnement et me laisse tomber dans mon véhicule.

«De quel droit m'a-t-il fait ça?»

Contact. Je démarre l'auto et me dirige vers la sortie.

À la limite du stationnement, Alain est là, assis au milieu de la chaussée.

Je sors la main par la fenêtre et lui fais signe de dégager la voie.

— Tu m'as tué une fois. Tu peux bien le faire deux fois.

— Voyons! Ça n'a pas d'allure ce que tu dis!

— Fonce que je te dis, je décollerai pas d'ici.

— Écoute, je n'ai pas de temps à perdre. Quelqu'un m'attend.

— Un client! Ça, c'est important dans la vie d'un homme d'affaires!

— Oui, c'est vrai, je gagne ma vie, et après? Je respecte les gens qui me font vivre.

Ricanements.

— Ben oui! C'est ton gagne-pain! Les autres ont pas d'importance.

— Ce n'est pas ce que j'ai voulu dire. Écoute, c'est une discussion qui ne mène à rien. Lève-toi et laisse-moi passer!

— Non, je bougerai pas d'ici!

Bon! Je n'ai pas d'autre choix! Je passe en marche arrière et cherche une autre issue. Je réussis enfin!

Fini le cauchemar!

Rouler n'importe où, mais rouler.
Ouvrir la radio.
Entendre des sons, CKMF, des voix connues, qui rient, qui donnent des nouvelles.
Feu rouge. Arrêt. Feu vert. Départ.
Soupir de soulagement.
Faire partie du monde. Consulter sa montre.
Midi trente minutes.
Arrêter pour manger. Restaurant habituel.
Ouf!!!
Je m'installe à une table.
Je commande sans grand appétit.
— Ah! Salut, Bernard!
— Bonjour, Yves. Ça va?
— Oui, oui. Imagine-toi que je viens d'avoir une promotion. Faudrait qu'on déménage à Toronto.
— T'es pas content?
— Les enfants ne veulent pas suivre.
— Pourquoi?
— Parce qu'ils ont douze et quatorze ans, voilà pourquoi. Les amis, vont-ils abandonner leurs amis? Jamais, m'ont-ils dit!
— Comment penses-tu t'en sortir?
— Je ne sais pas encore. Je vais établir une stratégie. Je ne dédaignerai ni le chantage ni la ruse. J'ai plusieurs cordes à mon arc. Tu sais, les enfants, faut pas les abor-

der de front. Faut les amener à penser comme nous.

— Ils ne t'en veulent pas après, quand ils se rendent compte que tu les as manipulés?

— Bof! Pendant quelques jours, mais ensuite, ils oublient. Tout rentre dans l'ordre. Quand ils l'ont complètement oublié, je leur fais un cadeau... tout à fait gratuitement. Alors là, je deviens le père le plus merveilleux du monde.

— T'en as bien des trucs dans ce genre-là?

— Je les développe au fur et à mesure que les enfants grandissent. C'est le métier de père qui s'apprend sur le tas. Mais toi, tu peux pas comprendre, tu n'as pas d'enfants. Ça ne te manque pas?

Question insidieuse, question piège!

Combien de fois mes bons amis me l'ont-ils posée!

— Non, bon Dieu, non!

Le cri a jailli du fond du cœur, tellement spontanément qu'Yves me considère avec insistance.

— Ça a l'air vrai. T'es-tu engueulé avec...

Il cherche ses mots.

— ... avec, est-ce que je sais, avec ton neveu, le petit voisin, le camelot, tiens?

J'attaque plutôt l'omelette qu'on

vient de me servir.

— Tu me fais penser. Il faut que je te parle d'un contrat...

Le repas s'achève bien. La diversion a produit son effet.

Je quitte Yves sur le promesse qu'on restera en contact l'un avec l'autre.

Dehors, il fait beau.

Je marche.

J'ai besoin de remettre mes idées en ordre: la conférence, l'altercation, la rencontre avec le directeur, Mme Robinson, l'interposition d'Alain, son refus de me laisser passer.

Je m'étonne de mon manque de réaction.

Avec un client, j'aurais contre-attaqué, je l'aurais engueulé, brassé, remis à sa place. Je ne lui aurais donné aucune chance. Ça, c'est mon monde.

Mais là, devant cet adolescent qui me saute dessus, je reste inerte. Je suis comme vaincu.

Qu'est-ce qui m'a empêché de le secouer, de le gifler, de lui dire ma façon de penser? Qu'est-ce qui m'a retenu?

Est-ce Mme Robinson? À cause de ce qu'elle m'a dit? Elle a l'air de bien connaître les adolescents. Pas moi!

J'ai eu le sentiment de perdre la face et

je n'aime pas perdre. J'ai eu le sentiment de plier, de baisser pavillon devant quelqu'un et je n'aime pas céder du terrain, même à quelqu'un que j'estime beaucoup.

J'espère qu'elle a raison, sinon je ne lui pardonnerai jamais.

Habituellement, c'est moi qui contrôle, qui tiens les fils, et ce petit morveux-là vient s'imposer et prétend me dicter quoi faire. Et je n'ai pas réagi. Je ne me reconnais plus.

Je dois vieillir.

Un petit vent frais s'est levé insidieusement.

Je presse le pas, regarde l'heure sur l'affiche lumineuse.

Quatorze heures trente minutes!

Merde! J'ai oublié un rendez-vous que j'avais moi-même fixé à quatorze heures.

Décidément, je perds la notion du temps.

Faut que je me rattrape!

Mon véhicule est à une bonne demi-heure de marche d'ici!

Hep! Taxi!

CHAPITRE 2

Vingt heures!

Je rentre à mon appartement, fourbu. Machinalement, je mets le répondeur en marche. Encore et toujours des appels de clients.

Mais enfin, qu'est-ce que j'espère?

Je n'ai toujours vécu que par eux et pour eux!

Il y a des soirs où la solitude me pèse!

Souper en tête à tête avec la télévision ou avec un livre? J'ai l'embarras du choix. Quelle perspective!

On frappe!

Je n'attends personne.

Le temps de me lever, de me rendre à la porte qu'on tambourine déjà et que j'entends crier: «Ouvre, je sais que t'es là!»

Alain!

Oui, j'ouvre, et comment!

Deux regards se toisent, se fixent, étincelants de braise.

— Je suis venu te dire de ne pas te mêler de mes affaires. Je ne sais pas ce qu'ils t'ont raconté à l'école... oui, je le sais... que j'étais un cas, un indiscipliné, un révolté qui n'en fait qu'à sa tête, qu'ils attendaient juste la première occasion pour me suspendre de l'école... Bon, ben, tant pis mais ça te regarde pas. Reste loin de tout ça comme tu l'as toujours fait. Salut!

Et il tourne les talons pour sortir.

— Oh non! Pas cette fois-ci! Non, mon bonhomme, c'est trop facile! On débarque chez les gens pour les attaquer et on ne permet pas qu'ils se défendent. T'es pas à l'école, là, devant tout le monde, tu restes, as-tu compris?

Je l'accroche par le col et le force à rentrer dans l'appartement.

— Tu m'as fait deux fois le coup aujourd'hui. Ça ne marchera pas cette fois-ci.

— J'ai rien à te dire.

— Alors, pourquoi t'es venu jusqu'ici?

— Ça te regarde pas.

— Si, ça me regarde, tu es chez moi.

— Laisse-moi partir.

— Non, pas avant que tu m'aies dit

certaines choses. Ce n'est pas moi qui suis allé te chercher.

— Ben, moi non plus, figure-toi donc!

— Oui, il y a cinq ans.

Je me mordrais la langue tellement je suis bête!

— Parlons-en, tiens! As-tu déjà vu ça, toi, un enfant qui demande de l'aide? Tu m'as laissé rêver. Puis après, tu m'as dit: «Non, je ne veux pas de toi, va-t-en, tu déranges ma vie!» J'étais pas vieux et pourtant je comprenais très bien.

— Ce n'est pas comme ça que ça s'est passé, tu le sais très bien.

— Ben moi, c'est comme ça que je l'ai vécu. Je m'en souviens comme si c'était hier.

— Tu l'as ruminé dans ta tête, oui. Et tu as transformé la réalité à ton avantage.

— Non, c'est pas vrai.

— Je ne pouvais pas te garder avec moi, je n'avais pas le droit. Tu n'étais pas mon enfant, je ne pouvais quand même pas te cacher chez moi ou t'enlever. On m'aurait accusé de détournement de mineur, de...

— C'est ça, hein? Tu voulais pas salir ta belle réputation de l'homme d'affaires honnête que t'es.

— Ne change pas le sujet de la conversation. Ce n'est pas ce que je dis. Je ne POUVAIS pas. La société est faite de même. Les parents élèvent leurs enfants jusqu'à ce qu'on prouve qu'ils ne sont pas aptes à les élever...

— Ou jusqu'à ce que les enfants crèvent ou se laissent crever.

— Ne m'interromps pas tout le temps. Il y a des plaintes qui peuvent être déposées au bureau de la protection de la jeunesse. Il y a des enquêteurs...

— T'es débile de croire à tout ça! Dans les livres, ils disent ça. Mais dans la réalité, c'est autre chose. Ils décident quoi, tu penses? Rien du tout! Qu'est-ce qu'ils savent, eux autres, de ce qui est bien ou mal pour un enfant? Ils le connaissent même pas. Ils jugent sur ce qu'on leur raconte. On est tous des numéros pour eux autres. Ça t'étonne, hein, mais je me suis renseigné. Regarde-moi bien, j'aurai jamais de numéromatricule écrit dans le front, jamais, tu m'entends?

— Ce n'est certainement pas toi non plus qui, à neuf ans, pouvais décider ce qui était bien ou mal pour toi.

— Ah non? Mes parents peut-être?

— Ben, oui! C'est normal!

— Les avais-tu regardés comme il faut, mes parents? Les avais-tu écoutés? Mon père avec ses maudits préjugés contre tout le monde? Ma mère avec sa voix mielleuse, avec son ton qui sonnait faux? Les seules fois où ma mère parlait comme ça, c'était quand il y avait un étranger à la maison. Tu voudrais que ce soit eux autres qui prennent les décisions pour moi?

— T'exagères!

— Non. T'es jamais resté chez nous. T'es juste venu me refoutre chez nous, alors que moi, je voulais plus être là.

— Je ne pouvais pas faire autrement.

— Oui, t'aurais pu me garder chez vous.

— Arrête de revenir là-dessus. JE NE POUVAIS PAS.

Je criais en le secouant par les épaules.

— Lâche-moi. J'ai plus rien à te dire.

— C'est facile de faire ça. Accuser et jamais comprendre!

— Toi, as-tu déjà essayé de me comprendre? Tu me parles toujours de la loi. C'est bien ça, c'est ton monde, la loi. Tu sais rien d'autre. Qu'est-ce que tu connais aux enfants? T'en as jamais eu.

— Qu'est-ce que tu viens faire ici si je connais rien à rien, si je suis borné? Fous le camp!

— Tu me le diras pas deux fois!

La porte claque.

Éberlué!

Soulagé? Je ne le sais pas.

Choqué? Certainement.

Ça ne mène à rien, ce genre de discussion-là. Il ne comprend rien, il ne veut rien comprendre.

Buté! Toujours à ramener le passé!

«Je ne pouvais pas faire autrement!»

«Oui, t'aurais pu!»

J'hallucine? Non. Alain est encore là!

Un dernier sursaut!

— Écoute, Alain, t'es certainement pas venu jusqu'ici pour m'engueuler à propos de ce qui s'est passé quand tu avais neuf ans. C'est ridicule! Moi, j'ai tourné la page. Fais-en autant. Ça ne donne rien de se lamenter, c'est du passé, c'est fini, on n'en parle plus...

Une perche: «laisser la porte ouverte», disait Mme Robinson.

— ... Qu'est-ce que t'es venu me dire ce soir?

— Rien. Ça donne rien. Tu peux pas comprendre.

— Je ne peux pas comprendre quoi?

— Rien.

Et il éclate en sanglots.

C'est bien la dernière chose que j'attendais!

Je suis complètement décontenancé.

Il renifle.

Je vais chercher des Kleenex.

— Alain, un grand gars de quatorze ans, ça...

Maladroit!

— Ça pleure pas, c'est ça? Moi, je pleure, que ça te dérange ou pas.

Toujours aussi arrogant, même dans ses larmes. Je sais pas ce qui me retient de lui mettre mon pied au... Décidément, il m'aura fait passer par toute la gamme des émotions, ce petit maudit-là.

Je respire profondément.

— Qu'est-ce que je ne peux pas comprendre, Alain?

— T'as pas d'enfants, tu peux pas savoir.

Je me raidis, il le sent. On ne va quand même pas me le reprocher toute ma vie!

— Non, mais c'est vrai. T'as certainement dû avoir une vie bien tranquille, avec des parents qui s'aimaient, qui t'aimaient. T'as été entouré, t'as pas eu de la misère dans la vie, toi.

— Pour l'amour, tu as parfaitement raison. Mon père et ma mère s'aimaient et se le disaient souvent. Mais pour le reste, tu te trompes. Je suis l'aîné d'une famille de neuf enfants. Mon père n'a toujours rapporté que des petits salaires à la maison. Ma mère faisait tout ce qu'elle pouvait pour joindre les deux bouts. J'ai commencé à travailler très jeune, j'aidais beaucoup mes parents par tous les moyens. J'ai terminé mes études en cours du soir. Je voulais tellement sortir de cette pauvreté-là qui me collait à la peau, que j'ai toujours travaillé sans arrêt. Il me semblait que partout où je passais, on me cataloguait: PAUVRE. J'ai toujours eu peur de manquer de l'essentiel. La sécurité financière, c'est très important pour moi. Je pense que ça passerait même avant tout le reste.

— C'est bien vous autres, ça. L'argent, c'est pas ce qui est important dans la vie. Ce qui est important pour moi pis pour tous les jeunes de mon âge, c'est d'avoir du monde qui nous aime et qui s'occupe de nous autres, qui nous respecte et nous prend tels quels et ne veut pas toujours nous changer. Avec tes grands discours sur la loi, sais-tu que dans la Charte des droits des enfants, c'est écrit noir sur blanc que les enfants ont DROIT à l'amour de leurs parents? Si ce droit-là est pas respecté, à qui on se plaint, tu penses? À personne. Qui nous écoute? Personne. C'est pourri, ce système-là...

Les larmes reprennent de plus belle.

Que dire? Que faire?

— ... Mes chers parents, que t'as

connus, vivent plus ensemble, savais-tu ça? On reste tous avec ma mère, avec visite chez notre père à toutes les deux semaines. Dans la réalité, c'est de la merde! Ils ne veulent plus nous avoir, on les dérange. C'est difficile à accepter. Il nous resterait des familles d'accueil? Je veux pas de ça pour mes petits frères...

Il hurlait, désespéré.

— ... Mon père, c'est fini avec lui. Je veux plus jamais le revoir. Lui non plus! On s'est engueulés, il m'a traité de sans-cœur, de paresseux, d'hypocrite, de profiteur. D'après lui, je suis un enfant qui exige tout, qui donne jamais rien, qui se ramasse jamais. Je suis un pouilleux, un menteur, un voleur.

— T'en mets pas un peu?

— Non. Tu l'as jamais entendu, on voit bien. Mon père a une très haute opinion de moi: je suis le dernier des sales, un moins que rien, un tout-nu, un petit maudit qui fera jamais rien de ses dix doigts. Pis là, je te dis que les plus polis. Parce que, quand il a bu sa caisse de bière, il est pas beau à voir, ni à entendre. Quand il m'a mis dehors, la dernière fois, je lui ai dit qu'il pouvait aller se faire foutre, qu'il pouvait bien faire tout ce qu'il voulait avec sa putain, mais qu'il toucherait plus jamais à mes petits frères, même s'ils sont tannants. Comme c'est son sport favori, taper sur mes petits frères, il l'a pas digéré. Il m'a donné un coup de poing en pleine face, pis dans les côtes. Moi, j'ai répliqué avec des coups de pied en essayant de viser là où tu penses. Il m'a crié de jamais remettre les pieds là ou bien il ferait venir la police. Ça fait que j'y vais plus. Mes frères non plus. Ma mère est pas contente parce qu'elle nous a tout le temps avec elle. C'est l'enfer! Ça chicane tout le temps dans la maison! Ça hurle sans arrêt! Je suis plus capable de rester là, tu comprends?...

À peine! Comment puis-je vraiment comprendre quelqu'un quand je n'ai pas vécu ce qu'il me raconte? Tout ça est tellement nouveau pour moi.

Le monde des affaires est si éloigné du monde des adolescents!

Voilà pourquoi Alain est ici.

— ... Quand tu m'as vu à l'école, c'était pas par hasard. Il y avait eu de la publicité au sujet de ta conférence. Le directeur exigeait que tous les étudiants y soient, c'était sur le temps d'un cours. J'avais repéré ton nom. J'aurais fait n'importe quoi pour que tu me voies.

Je n'osais lui dire qu'avec la tignasse qu'il avait, n'importe quel autre moyen était superflu!

— Ce n'est pas un moyen très positif.

— Peut-être, mais, en tout cas, c'est un moyen que tous les étudiants connaissent et qui est à notre portée. En langage de prof, ça se dit: attirer l'attention de façon négative.

Qu'attend-il de moi?

Que je l'accueille à bras ouverts? Que je lui dise que, cette fois, c'est oui?

Quelle naïveté!

Son regard se fait suppliant.

Il arrête de renifler.

Il a quatorze ans. Je ne peux pas. Pas plus que voilà cinq ans.

Il l'a dit lui-même: il habite chez sa mère donc elle va le chercher, mettre la ville en état d'alerte.

Et si c'était lui qui avait raison!

Mais non! Une mère s'occupe toujours de ses enfants!

Il me regarde fixement, épiant mes moindres réactions.

— Je ne peux pas rentrer chez nous, tu comprends pas? Tu peux pas me renvoyer sans t'occuper de moi, je t'en supplie, garde-moi ici avec toi. Je te dérangerai pas, je te jure. Fais-moi de la place dans ta vie.

Comment résister à cet appel de détresse?

Et pourtant...

Alain doit sentir mes réticences.

— Alors, pourquoi t'es venu à l'école?

Les deux bras m'en tombent!

— J'y suis allé parce qu'on m'a demandé de donner une conférence aux étudiants. Tout ça est un hasard..

— Je ne crois pas au hasard.

— T'es bien libre de croire à ce que tu voudras. Bon! Je t'ai écouté, c'est parfait. Tu peux rester ici encore un peu, mais après, tu vas retourner chez toi.

— Bernard, tu peux pas me faire ça! Renvoie-moi pas là. La vie avec ma mère, c'est un enfer! Je vais faire n'importe quoi pour pas y retourner.

Sans que j'aie le temps de réagir, il va vers le tiroir de la cuisine, en sort le grand couteau à pain et se l'appuie sous la gorge.

— Si tu m'obliges à retourner chez nous, je me tranche la gorge. J'ai pas peur de le faire.

— Voyons, Alain, réfléchis.

— Non, c'est déjà tout réfléchi, j'y retourne pas.

— Alain, dépose ça, on va discuter calmement.

— Je vais le déposer quand tu m'auras promis que je peux rester ici.

— Tu sais très bien que je ne peux pas

te promettre une chose semblable. On peut envisager d'autres solutions. Tiens, je te propose...

— Tu l'auras voulu!

— Alain, fais pas le fou!

En même temps, je tends la main vers lui. Comment contenir un tel désespoir?

— Au point où j'en suis, j'ai plus rien à perdre.

— On va parler, on va s'expliquer. Tu vois, je te mets pas dehors.

— Promets!

Gagner du temps.

— Je te ferme pas la porte, c'est déjà ça! Dépose le couteau. Moi, je ne peux pas parler dans ces conditions-là. Tu vas voir, à nous deux, on va trouver une solution.

C'est moi qui supplie cette fois-ci!

Je touche à peine son épaule.

Il me regarde durement.

Des secondes qui sont des minutes.

Des minutes qui semblent des heures.

L'éternité dans les yeux. La demande d'éternité dans le cœur.

Je suis un témoin à qui on demande de prendre les armes. Je suis impuissant. Ce drame n'est pas le mien. Qu'est-ce que je luis dis, qu'est-ce que je fais pour qu'il change d'idée? S'il passe aux actes devant moi... Il en est bien capable. Mon Dieu!

Lueur dans la guerre! Il baisse les yeux lentement.

Je n'ose pousser un soupir de soulagement de peur de le blesser.

Il baisse le bras lentement, résigné.

Geste de fatigue!

Cet enfant-là est sur le point de craquer, de tomber dans un précipice. Et j'ai tout à coup le sentiment de l'y aider.

Pourquoi le repousser?

— Tu t'es encore enfui de chez vous?

— Non. Je suis pas encore rentré.

— Pourquoi? C'est pas si terrible que ça!

— T'as pas entendu ce que je t'ai raconté tantôt? Tu penses que j'ai inventé tout ça pour me rendre intéressant, hein? C'est l'enfer! De toutes façons, t'es rien qu'un adulte pareil aux autres, pis vous êtes complètement dépassés, vous comprenez rien à rien. Je te jure que je me suicide si ma vie change pas, si personne fait rien pour moi. Pis ça sera de ta faute, tu m'entends, de TA FAUTE.

J'essaie de garder mon calme, malgré tout... et ce n'est pas facile. Aussi bien que ce soit moi qui garde la tête froide: je sais très bien que je ne suis pas responsable de sa vie.

— Mais hier, tu y étais, chez vous. Aujourd'hui, c'est différent?

— Ma mère a un chum. Dix ans plus

jeune qu'elle. Trois gars dans la maison, ça fait du bruit, trop de bruit pour lui. Ça soulève trop de poussière. Il a décidé de nous prendre en main. Il a décidé, lui, de nous élever.

— C'est pas épouvantable tout ça.

Il relève la tête d'un air surpris.

— Tu sais pas de quoi tu parles.

— T'as bien raison.

Après une pause:

— Tes petits frères, comment vivent-ils cette situation-là? Tu les laisserais tomber aussi facilement?

Il me jette un œil noir.

Je saisis que je viens de faire une gaffe.

— Recommence-moi pas le coup que tu m'as fait quand j'avais neuf ans. Je suis resté sagement à la maison. Mais, à cette époque-là, c'était encore endurable. Ou ben, j'étais trop petit pour tout comprendre. Mais là, j'ai vieilli. Tout a changé. Ils nous font sentir qu'on est de trop. Plus personne veut de nous autres. Je passe plus de temps en dehors de la maison...

Je l'ai déjà entendue celle-là il y a cinq ans.

Rien n'a donc vraiment changé.

—... Pour mes petits frères, c'est moins pire, ils sont moins conscients. Le plus jeune, Marc, a toujours été chouchouté par ma mère. Il se rend compte de rien. Éric, le deuxième, commence à se réveiller un peu.

— Ce que tu me racontes, Alain, se vit aussi dans d'autres familles. Sous d'autres formes. La famille parfaite, tu sais, ça n'existe pas.

— O.K. Vas-y. Dis-moi, comme tous les autres, que je suis en pleine crise d'autorité, que c'est moi qui suis pas correct, que c'est moi qui provoque tout. On me répète toujours que si j'étais moins agressif avec tout le monde, tout irait beaucoup mieux. Tout est de ma faute, peut-être? Le mariage et le divorce de mes parents? La putain de mon père et le gigolo de ma mère?

Et le voilà reparti.

Comment endiguer ce flot?

— Je ne te juge pas, Alain. J'essaie juste que tu regardes les deux côtés de la médaille. Tu n'as pas un peu tes torts, toi aussi, là-dedans?

Il bondit. J'aurais mieux fait de me taire!

— Je veux pas savoir qui a tort ou qui a raison. Je veux juste vivre comme du monde. Je veux juste qu'on me reconnaisse. Je vais te dire quelque chose que j'ai jamais dit à personne: j'ai le sentiment d'arracher le peu d'attention qu'on m'accorde. Sais-tu ce que ça veut dire, toi, de vivre toujours en état de tension, de toujours être obligé de gueuler, de jamais se laisser aller? Penses-tu que ça me plaît, cette vie-là? Vous autres, les adultes, vous avez l'impression qu'on gueule pour rien parce qu'on n'a besoin de rien. Vous oubliez l'essentiel: l'amour, la tendresse. Je veux qu'on s'occupe de moi, qu'on m'écoute, qu'on me comprenne. Tant que je l'aurai pas, je vais crier tellement que vous allez être obligés de vous boucher les oreilles. C'est vital pour moi, tu comprends. Si j'ai pas ça, je vais crever. Ils me font tous suer avec leurs belles paroles, avec leurs théories qu'ils écrivent derrière les bureaux en tenant pas compte de notre réalité. Je suis là. Je veux qu'on m'écoute en me prenant comme je suis. Je veux pas qu'on essaie de me changer!

— O.K.

— Dis-moi, est-ce que je suis trop exigeant quand je demande d'avoir des parents qui s'aiment, qui m'aiment pour moi? Est-ce que je suis responsable de ça aussi?

— Non.

Moi non plus, je ne suis pas responsable.

Je me lève pour aller chercher des jus dans le frigo.

— T'as pas de réponse, hein?

— Non, t'as bien raison, des solutions toutes faites, je n'en ai pas. Mais ça ne veut pas dire qu'elles n'existent pas. Je ne sais pas quoi te dire. Remarque que je te crois, je pense que t'es sincère mais je ne sais pas quoi faire pour toi.

— Ça serait pourtant ben simple, garde-moi ici avec toi.

— Je ne peux pas, mais toi, tu peux revenir...

Ce n'est pas la réponse souhaitée.

Il se dirige vers la porte.

En passant devant ma table de travail, il émet un «Hein! T'as ça, toi?» incrédule.

Alain est devant mon AMIGA.

— T'es chanceux!

C'est prononcé sans envie. L'habitude de constater que d'autres reçoivent plus que lui.

— Oui, je viens de me l'acheter. Un collègue me l'a recommandé pour dessiner des plans. Tu le connais?

— À l'école, le prof de musique en a un. Super écœurant! Tu devrais voir tout ce qu'il fait avec cet ordinateur-là.

— Quand je vais avoir fini de lire tous les bouquins qui viennent avec, je te montrerai comment t'en servir et tu viendras pitonner dessus. O.K.?

— Ah oui? Tu ferais ça pour moi?

Je le prends par les épaules, le force à me donner la main: «Une promesse est une promesse.»

— Maintenant, tu t'en vas te coucher. Moi, j'ai besoin de mon sommeil...

Oups! Réaction immédiate.

— Je rentre pas. Je te l'ai dit...

— Écoute, Alain, demain est une autre journée. Peut-être qu'elle ne se déroulera pas du tout comme tu le penses. Tu vois, j'ai un ordinateur, ça va te donner l'occasion de revenir te vider le cœur quand tu en auras assez en même temps que tu taperas sur le clavier.

— Oui, je sais. Tu me donnes pas le choix?

— Non. Mais je veux te revoir bientôt. C'est promis?

— Une promesse est une promesse.

— Bonne nuit, Alain.

— Bonne nuit, Bernard.

Et je ferme la porte.

Enfin!

CHAPITRE 3

L'été s'étire paresseusement avec ses interminables promenades au bord de l'eau, avec les vacances à la mer, avec le temps qui semble passer moins vite parce qu'on se donne la peine de le savourer plus.

Pour la première fois de ma vie, le tourbillon de mon travail ne remplit plus mes pensées.

J'écarte les narines, je hume l'air tiède des belles soirées chaudes de l'été. J'étire les grasses matinées. Je me jette tout entier dans ces délicieuses sensations toutes nouvelles pour moi.

Il fait bon vivre.

Je me sens comme un petit enfant qui découvre l'odeur des fleurs de pommiers. Et je la déguste à petites lampées.

J'ai le goût de rattraper le temps perdu: je deviens papillon.

À quelques reprises, une pointe de regret m'envahit.

Tranquillement, une vague idée, un soupçon, un désir monte en moi.

Je ne l'identifie pas encore.

Je me surprends quelquefois à regretter cette solitude qui pèse un peu plus chaque jour.

Je m'étonne aussi de ne pas étouffer des souvenirs de jeunesse qui remontent à la surface à la vue des bandes d'adolescents qui s'ébattent à qui mieux mieux.

J'ai quarante ans. La moitié de ma vie est peut-être déjà passée.

Qu'ai-je fait pour être heureux?

Qu'ai-je fait pour réaliser mes bons vieux rêves d'enfant?

J'en suis probablement encore aux balbutiements.

Côté professionnel? Bilan très positif.

Côté familial? Ma famille, celle de mon enfance, je l'ai mise de côté, je l'ai sacrifiée sur l'autel de mon travail. Quant à celle que j'aurais pu avoir, j'ai soigneusement enfoui cette idée sous l'amoncellement de mes papiers avec la mention d'y revenir plus tard. Est-ce le moment d'ouvrir l'enveloppe?

Côté amoureux? À l'occasion, quelques passades temporaires. Néant total pour une relation définitive.

Côté amical? Évidemment, j'entretiens celles qui sont reliées à mon travail. Je maintiens les contacts d'affaires. On n'y parle que de contrats, de polices d'assurance, d'argent. Il y a bien, à l'occasion, quelques confidences plus intimes, mais ce n'est pas habituel.

Côté sportif? Bof! Disons que la mise en forme n'est pas mon fort. Le médecin (examen annuel, assurance oblige) me dit qu'il faudrait m'inscrire à un entraînement régulier. Quand j'aurai le temps, j'y verrai.

Est-ce que c'est ça, réussir sa vie?

Il y a quatre mois, j'aurais répondu oui sans hésiter; maintenant, je n'en suis pas aussi sûr.

Est-ce que c'est forcément se marier et avoir des enfants?

Pour cela, il aurait fallu en avoir l'envie et le temps. Je n'ai eu ni l'un ni l'autre.

Présentement, est-ce que c'est ça qui me tenaille? L'envie d'aimer ou d'être aimé, de meubler ma solitude, d'échanger avec quelqu'un?

Comment fait-on? Faut-il se laisser piéger?

Nostalgie, amertume, tristesse, mélancolie, désir de tendresse, je dois bien avouer que je les ressens tous. J'épluche mon courrier plus fébrilement. Je souhaite des coups de téléphone.

J'espère des signes extérieurs, mais je ne mets rien en branle pour provoquer des rencontres.

J'en suis encore à me tourmenter quand, le 23 juillet, à vingt-deux heures trente, on gratte à la porte de mon appartement.

Bruit à peine perceptible.

J'ouvre à tout hasard.

Alain est là, le visage défait, les yeux vides, la figure blanche.

— Qu'est-ce que je peux faire pour toi?

Il parle à voix basse.

— Bernard, je viens d'avaler une bouteille d'aspirines. Je veux pas aller à l'hôpital.

Première réaction d'incrédulité.

— C'est pas vrai, Alain, tu me fais marcher.

— Non, je te mens pas. Fais-moi une place, je veux me coucher.

— Ben voyons! Tu ne peux pas rester comme ça. Laisse-moi t'emmener à l'hôpital.

— Je veux juste dormir. Bernard, aide-moi.

— Oui, oui. As-tu pris toute la bouteille?

— Je le sais plus... Oui.

— Où étais-tu quand t'as pris ça?

— Ça n'a pas d'importance. Je veux juste dormir.

— Non. Tu viens à l'hôpital. Il te faut un lavage d'estomac.

— Laisse-moi rester ici. Je veux mourir ici.

Il résiste encore, il va vers le divan pour s'allonger.

La panique me gagne de plus en plus.

— C'est dangereux ce que t'as fait là. Je ne veux pas que tu meures, Alain. Je vais m'occuper de toi.

— C'est trop tard, Bernard. Laisse-moi dormir en paix.

C'est dit d'une voix qui trahit une lassitude infinie. L'agressivité a complètement disparu. Il n'y a plus de traces de lutte.

— Non, non, je veux que tu vives. On ne se laisse pas mourir bêtement comme ça à quatorze ans.

— J'ai plus rien à gagner. J'aime autant en finir tout de suite. Laisse-moi dormir pour de bon.

— Allez, je t'emmène, on ne discute plus. C'est moi qui donne les ordres; toi, tu suis.

Je le prends doucement par les épaules et l'installe comme un objet précieux sur la banquette de ma voiture, à côté de moi.

Direction hôpital.

Feux rouges au ralenti, je roule aussi vite que la prudence me le permet. Tant pis si je suis pris en chasse: j'expliquerai.

Longues formalités à remplir, alors que tout ce que je veux, c'est qu'on s'occupe enfin de lui.

On l'emmène dans une petite salle où on le force à vomir.

Difficile expulsion!

Pauvre petit! S'il avait su ce qui l'attendait, il aurait peut-être hésité avant d'envisager cette solution.

Bon! C'est fini maintenant! Il a rendu tout ce qu'il pouvait. On le laisse tranquille.

On lui donne un sédatif. Il dormira comme un bébé jusqu'à demain.

Je l'accompagne jusqu'à son lit.

Je sens déjà autour de nous des réactions mi-sympathiques, mi-antipathiques: l'allure d'Alain y est sûrement pour quelque chose.

J'aurais le goût de les secouer pour les réveiller, leur dire de ne pas se fier aux apprences, que c'est un enfant qui n'a pas de chance dans la vie et qui réclame une part d'amour.

Je vais m'asseoir dans la salle d'attente.

Pourquoi un jeune de quatorze ans cherche-t-il à mourir?

La vie est belle pour lui, pleine de promesses.

Tout est devant lui: tout est beau, tout est facile.

Il n'a qu'à se pencher pour cueillir.

Il n'a pas d'obligation, il a juste à se laisser vivre, à étudier, à profiter du temps qui passe.

Je crois qu'il veut plus que cela.

Tout ce qu'il m'a fait entrevoir serait donc vrai? Son manque d'amour chronique? Son déracinement?

Pour la première fois de ma vie, je me vois confronté à un problème pour lequel je n'ai pas de solution toute faite.

Pour la première fois de ma vie, je suis inquiet, je tourne en rond.

Je sors de l'hôpital, je n'ai plus affaire là.

La nuit est chaude, propice à la réflexion.

Pourquoi cet enfant-là est-il toujours sur mon chemin?

Pourquoi est-ce à moi qu'il s'adresse quand il décide d'avaler trop de médicaments? Qu'est-ce que je peux y faire?

Ses parents sont-ils au courant? Faut-il que je prévienne quelqu'un?

À l'hôpital, j'ai dit que j'étais un ami de la famille.

Est-ce moi qui irai le chercher demain?

Je m'assois sur un banc de parc, la tête entre les mains.

Une petit voix s'insinue en moi: «Et si tu le gardais?»

Facile à dire.

Une montagne de complications.

Je n'ai pas le goût, pas le temps de m'embarquer dans des enquêtes, dans des procédures judiciaires qui vont invariablement découler d'une telle attitude!

Comment vit-on après une tentative de suicide?

SUICIDE.

Le mot m'apparaît dans toute son étendue, son horreur.

Alain a voulu s'ôter la vie parce qu'on ne l'aimait pas assez.

Moi aussi, je fais partie de ce monde?

J'ai refusé de le prendre au sérieux au mois de mai. Tout le monde a fait de même.

Pourtant, à l'école, on semblait le comprendre.

Son professeur! Bien oui! Communiquer avec Mme Robinson! Lui raconter, la mettre sur la touche.

Merde! Peux pas! On est le 23 juillet.

Mais j'ai pas d'enfants, moi. Qu'est-ce qu'on dit à un jeune qui juge que la vie est pas assez belle pour lui? Qui va m'enseigner?

Où sont mes modèles? Je n'ai jamais vécu une chose semblable.

Des bandes de jeunes déambulent encore, qui rient bruyamment, qui parlent à voix basse en me croisant, qui chantent des slogans politiques.

Ils s'interpellent comiquement: toute une jeunesse heureuse, sans souci, qui cherche à s'exprimer!

Je n'ai pas de tels souvenirs.

Je n'ai fait que travailler pour aider la famille d'abord, pour payer mes études ensuite.

Qui sont-ils, ces jeunes? Sont-ils à plaindre? Ont-ils tout cuit dans le bec comme je l'entends souvent répéter?

Comment Alain lutte-t-il dans un monde qu'il refuse?

Comment, moi, sans aucune expérience, puis-je l'aider? Ce n'est pas un peu trop présomptueux?

Toutes les fois où il s'est présenté pour me tendre la main, j'ai refusé, j'étais trop pressé d'en finir avec lui, j'avais d'autres sujets de tracasserie.

Faut dire qu'il ne tombait jamais au bon moment. Il arrivait dans ma vie quand j'étais submergé d'ouvrage. Comment aurais-je pu sortir de ce fatras pour aider quelqu'un d'autre?

J'ai marché longtemps et ma voiture est dans le stationnement de l'hôpital.

Tant pis! J'y retourne à pied. J'aurai le temps de prendre la bonne décision pour ce jeune homme.

Neuf heures!

Mon réveille-matin n'a pas sonné! Je suis en retard! Vite!

Douche et petit déjeuner avalé du bout des dents. Je saute dans mon pantalon.

En route! J'ai hâte d'arriver!

Je me prépare le cœur et l'esprit comme pour une fête.

Ma décision est prise.

L'ascenseur de l'hôpital ne monte pas assez vite à mon goût: arrêt à tous les étages.

Pédiatrie, me voilà!

Mon sourire se fige. Une petit femme maigrichonne, pauvrement vêtue, les cheveux tirés vers l'arrière, la mère d'Alain, fait le pied de grue devant le bureau de l'administration.

Impossible de la contourner.

«Bonjour, madame.»

Salutation polie qui n'entraîne pas l'équivalent chez mon interlocutrice.

C'est plutôt un accueil glacial qu'on me réserve. «Ah, c'est vous!»

— Vous saviez qu'il était ici?

— C'est moi qui l'ai amené hier soir.

— Vous m'avez pas appelée?

— Je n'ai pas votre numéro de téléphone.

— Vous deviez bien vous douter qu'une mère s'inquiète quand son garçon rentre pas. Heureusement que des gens de l'hôpital m'ont appelée, sinon, je l'aurais jamais su.

— C'est vrai, vous êtes sa mère.

— Oui. Vous, c'est Bernard. On entend plus parler de vous que de son père. C'est vrai que son père l'a mis à la porte. Vous, c'est le contraire, vous l'avez recueilli. Il était toujours chez vous.

— Non. Il est venu seulement une fois.

— Ça se peut pas. Il nous a raconté toutes sortes d'histoires, toutes les activités qu'il faisait avec vous. Tellement que ses frères en étaient jaloux. Pensez donc, c'était à faire rêver n'importe quel enfant.

— Il vous a menti.

Aussitôt dit, aussitôt regretté.

Non, il ne mentait pas. Il s'inventait un père sur mesure.

Moi, je n'ai rien compris de tout ça; elle non plus.

— Oui, ben, ça me surprend pas. Faudrait le surveiller tout le temps.

Elle me regarde d'un air soupçonneux.

— Pourquoi vous êtes ici ce matin?

Puis-je lui dire la vérité?

— Pour lui rendre visite. Est-ce aujourd'hui qu'il sort?

— Oui, pis c'est moi qui le ramène. Je connais pas vos intentions par rapport à Alain, mais pensez pas de mettre le grappin dessus.

— Ce n'était pas dans mes intentions. Quand il est venu chez moi, c'était de son plein gré. Je ne l'ai jamais attiré par des moyens douteux, si c'est à ça que vous pensez.

— Vous avez un ordinateur, il nous l'a dit. Les enfants sont souvent attirés par toutes ces bébelles électroniques.

Et elle me regarde d'un air suspicieux.

Je devine dans ses yeux qu'elle est déjà prête à m'accuser de détournement de mineur.

Mon sang ne fait qu'un tour.

— Madame, avant d'aller plus loin dans vos allégations, mettons les choses au clair une bonne fois pour toutes. Mais pas ici, on pourrait nous entendre.

— J'ai rien à cacher, moi, monsieur!

— Moi non plus! Mais je n'ai pas envie d'étaler notre vie sur la place publique.

— Pour qui vous prenez-vous pour me dire ça? C'est facile d'accuser les autres.

Je la prends par le bras, un peu de force, et je l'entraîne vers un petit salon réservé aux fumeurs. Il est vide.

— Je ne suis pas allé chercher votre gars, ni la première fois quand il avait neuf ans, ni la seconde fois cette année. Il s'est trouvé sur mon chemin. C'est un enfant désemparé qui demande de l'aide. Il est malheureux.

— Ah, parce que vous, qui avez jamais eu d'enfants, vous savez y faire avec ceux des autres? Voyons donc! Si Alain est malheureux, c'est de sa faute. Il casse tout, il respecte rien, il envoie promener tout le monde: moi la première, son père, ça, je le comprends, je ferais pareil, ses professeurs aussi. Il se révolte contre tout ce qu'on lui dit, fait tout le temps à sa tête, disparaît de la maison aussi souvent qu'il le peut. Il appellerait jamais pour dire où il est, c'est trop dur! On le cherche sans arrêt, on est toujours en train de se demander quel mauvais coup il manigance et j'ai toujours peur qu'il finisse par se faire arrêter par la police.

— Qu'est-ce que vous faites pour l'aider?

— Pour qui vous vous prenez? Je suis sa mère, je fais tout ce que je peux, monsieur. Vous autres, vous avez toujours l'accusation facile pour nous autres, les mères monoparentales. Tous les torts sont de notre bord. Si vous pensez que d'avoir un homme à la maison, ça réglerait tous les problèmes, détrompez-vous, c'était pire quand son père était là. Je les élève toute seule, mes enfants. J'essaie de me débrouiller du mieux que je peux. S'il y avait pas du monde comme vous pour mettre toutes sortes d'idées dans la tête de nos enfants, nous aurions plus de facilité avec eux autres, ils nous écouteraient plus. Ils seraient pas toujours en train de rêver d'un monde qui n'existe pas...

Puis, elle me considère avec attention.

— ... Être malheureux, ça veut dire quoi? Quand on travaille sans arrêt, on a pas le temps de se regarder le nombril. On a pas les moyens, nous autres, d'élever nos enfants comme des fainéants. Il va falloir qu'ils gagnent leur vie rapidement. Quand ils auront dix-huit ans, j'aurai plus les moyens de les faire vivre. Va ben falloir qu'ils se fassent à cette idée-là. J'aurai pas les moyens de leur payer l'université.

— Peut-être que des organismes vont pouvoir vous aider.

— Vous connaissez pas le système. Dans la vie, faut se débrouiller tout seul.

Un instant de silence.

— Bon! je vais aller voir Alain.

— Moi aussi.

Quel choc!

La tête du jeune garçon quand il nous a vus dans l'embrasure de la porte!

Je voudrais ne jamais revoir cette expression: le chaos dans les yeux, la souffrance et la détresse accompagnant la tristesse la plus intense.

— Qu'est-ce que vous faites là tous les deux?

— Je suis venue te chercher. Tu rentres chez nous, on te laisse sortir.

Un regard angoissé coule dans ma direction. J'essaie le ton rieur pour dédramatiser.

— Eh oui! Tu retournes au grand jour!

Flop! Le silence s'installe lourdement au milieu d'une chambre embarrassée de trois étrangers.

Comment lui faire comprendre que je suis disponible?

J'aimerais profiter d'un moment de

solitude pour lui dire ou tout au moins lui faire signe.

La mère tourne autour de son fils, ce qui semble l'agacer au plus haut point, et moi, j'assiste à la scène, en apparence impassible.

Pour dire ou faire quelque chose, j'offre mes services en tant que chauffeur.

Offre acceptée par souci d'économie!

Les formalités sont remplies.

Nous voici hors de l'hôpital. La mère s'assoit devant, le fils, derrière.

Retour pénible!

Un affreux malaise règne entre nous trois et personne ne fait rien pour le dissiper.

Au moins, je saurai où habite Alain maintenant: le quartier des HLM.

Je les dépose devant leur logement.

Un merci prononcé par politesse et un enfant, la tête basse, le dos voûté, qui rentre au bercail non capitonné.

Adieu, mes illusions!

Adieu, tous les beaux plans que j'avais commencé à échafauder!

Une pluie fine, insinuante, se met à tomber d'un ciel uniformément gris.

Rien à faire!

C'est parti pour la journée! Le spleen!

Pas le goût de rien entreprendre!

Et pourtant, je devrais faire le ménage de mon bureau, je remets ça depuis un mois.

Ça me changera les idées, tiens!

Minutieusement, papier par papier, je classe, je comptabilise tout le fatras entassé.

Je n'ai pas le cœur à l'ouvrage, ma pensée coule sans arrêt vers le petit protégé de mes désirs.

Mes yeux sont attirés par un bout de papier: Joelle Robinson, 563-6436.

Immédiatement, les images apparaissent. J'appelle ou pas?

Ça sonne occupé! Au moins, elle est là, elle n'est pas partie en vacances.

J'essaie de nouveau. Elle répond d'une voix toujours aussi calme.

Je m'identifie, elle me reconnaît: elle semble heureuse même de m'entendre.

Elle me confirme qu'elle est libre présentement et qu'elle aimerait bien avoir des nouvelles d'Alain.

On convient d'un café dans un endroit neutre.

Robe de cotonnade fleurie malgré la température maussade, une petite laine jetée sur les épaules et des sandales aux pieds, c'est un rayon de soleil qui m'apparaît.

Le sourire enjôleur, Joelle Robinson me tend une main solide.

«Bonjour! ça me fait plaisir de vous voir.»

Elle commande un thé-citron.

— C'est un nom qui vous va bien, Joelle.

— Vous trouvez? En tout cas, il m'a causé bien des ennuis quand j'étais plus jeune. J'étais la seule à porter un nom pareil. J'ai dû subir tous les quolibets qu'on inventait à mon sujet. J'ai été susceptible longtemps.

— Les enfants ne sont pas toujours tendres les uns envers les autres.

— Parlant d'enfants, donnez-moi des nouvelles d'Alain. Quand il a quitté l'école, au mois de juin, il n'était pas très réjoui à l'idée de passer les vacances entre quatre murs et il voulait un emploi pour l'été. Mais, à quatorze ans, je sais que ce n'est pas facile à dénicher.

— Tout ce que je puis vous dire, c'est qu'il n'est pas heureux en ce moment.

Et je lui raconte, par le menu détail, mes deux rencontres avec le jeune gars. J'insiste beaucoup sur mon impuissance.

Elle hoche la tête gravement en apprenant le dernier incident.

— Pauvre enfant! Il est rendu plus loin que je le pensais. J'avais espéré qu'il serait plus fort.

— Il sait ce qu'il veut, en tout cas.

— Oui, et il prend les moyens qu'il trouve à sa portée. Ne vous culpabilisez pas trop, il ne vous appartient pas. Il fait un tranfert de père, il vous idéalise, c'est sûr. Regardez ce qu'il a raconté à sa mère. Il vous voit comme le père idéal et vous revêt de toutes les qualités qu'il aurait souhaitées pour son vrai père. Mais c'est une position difficile pour vous car vous n'êtes pas au courant de tout ce qu'il peut inventer.

— Si vous aviez vu le regard de sa mère, elle est jalouse!

— C'est normal. Mettez-vous à sa place. Pour elle, vous avez le beau rôle! Elle travaille, elle trime dans un petit emploi, elle a de la misère à joindre les deux bouts. Elle élève ses enfants avec toutes les peines du monde. Vous, vous arrivez dans sa vie, vous ôtez les bons côtés possibles, soit une bonne relation avec son fils aîné. Elle sent très bien que si le fils aîné lui échappe, les relations avec les deux autres seront difficiles parce qu'elle ne pourra pas bénéficier de ce support-là.

— Mais je vous jure que moi, je n'ai même pas une bonne relation avec son garçon, au contraire.

— Mais elle est bonne, cette relation. Avec vous, il parle. Déjà ça, c'est merveilleux. N'oubliez pas qu'elle vous voit à travers ce qu'Alain lui raconte.

— Lui invente, plutôt.

— Si vous voulez. Vous lui volez son fils.

— Mais c'est lui qui vient chez moi. Je l'ai vu deux fois; si au moins cela avait été intéressant et positif.

— C'est du pareil au même. Il est allé chez vous réclamer de l'aide après avoir avalé sa bouteille d'aspirines? Vous le savez, quand on est sûr qu'une personne ne nous laissera pas tomber, quand on sait que là, on ne sera pas jugé ou refusé, c'est vers cette personne qu'on se tourne. C'est elle qui représente la force... Ça vous semble compliqué, la psychologie des jeunes?

— Quand vous me la décortiquez comme ça, non. Autrement, oui. Quand vous parlez, tout ça a l'air tellement simple: on dirait une équation mathématique.

— Ça ne vous frappe pas qu'il ait juste avalé des aspirines? C'est léger, façon de parler, et on n'en meurt pas. C'est un S.O.S. On est juste bien malade. On a l'impression qu'ils nous font vomir nos tripes. Mais, après un bon lavage d'estomac, plus rien ne paraît, en tout cas extérieurement.

— Qu'est-ce que vous en déduisez, vous?

— Qu'il faut que quelqu'un intervienne, et vite! Mais ça prend le consentement des parents. Un psychologue à cinquante dollars l'heure s'avère trop dispendieux pour la majorité des gens. Si on était dans la période scolaire, il rencontrerait le psychologue de l'école et le suivi serait assuré.

— On ne peut rien faire parce qu'on est en juillet?

— Il reste le C.L.S.C. Mais ils ont une liste d'attente tellement longue qu'il ne faut pas y songer. C'est délicat, vous savez, on ne peut pas faire un signalement. Physiquement, il ne manque de rien, sa mère assure ses besoins essentiels. Il n'est ni pire ni mieux que bien des jeunes.

— Je me fous des autres jeunes. Je veux juste l'aider, lui. Que se passe-t-il quand on fait un signalement?

— Il y a une enquête, et si l'on juge que le cas est grave et que les parents sont inaptes, on trouve au jeune une famille d'accueil. C'est une procédure très lourde et très longue.

— Dans le cas d'Alain, ça ne s'applique pas.

— Je pense aussi qu'on est rendu un peu trop loin. Il n'est pas question d'une famille d'accueil.

— C'est chez nous qu'il veut vivre. Moi, je ne comprends pas. Je n'ai pourtant rien pour attirer les enfants. Je vis comme un ours. Je suis sauvage.

— Ce n'est pas ce qu'il pense. Alors, c'est à vous de jouer.

— Facile à dire. Sa mère a remis le grappin dessus, comme elle le dit.

— Savez-vous ce dont j'ai peur? C'est qu'il recommence. Si, la première fois, ça n'a pas donné le résultat espéré, il va tenter autre chose. Sûrement de plus grave. J'espère que le temps va jouer en notre faveur: dans un mois ou presque, c'est la rentrée scolaire. En septembre, on va pouvoir l'entourer et l'aider comme il faut. D'ici là, il faut être très vigilant. Surveillez le moindre signe qu'il vous fera.

— Il a complètement envahi ma vie, cet enfant-là.

— Je vous crois. C'est une de leurs qualités, aux adolescents, que de prendre toute la place.

Silence.

Une image plane au-dessus de nos têtes.

— Savez-vous à quoi je pense?

— Non, je ne peux pas voir.

— Mme Dupuis vit une période difficile en ce moment. Elle est dépassée par la révolte de son grand garçon. Élever un adolescent toute seule, ce n'est pas facile. D'autant plus qu'elle a deux autres garçons qui ont les yeux rivés sur ses erreurs. Le plus vieux sert souvent de modèle positif ou négatif à ceux qui viennent après lui. Elle aussi se culpabilise de son divorce. Malgré tout ce que vous pouvez en penser, c'est une personne qui comprend le bon sens et elle aime son garçon.

— Vous croyez? Tantôt, elle était en furie après moi.

— Je vous l'ai dit, c'est normal. Laissez tomber la poussière. Laissez-la se calmer. Dans une semaine, téléphonez-lui et proposez-lui de jouer auprès de son fils le rôle du père qu'il n'a plus. Peut-être qu'elle acceptera. Faites-lui voir comment votre aide peut être précieuse pour son fils. Puisque vous aimez le même enfant, vous êtes certainement capables de travailler ensemble.

— Vous croyez qu'elle acceptera une chose semblable?

— Vous ne perdez rien à essayer. C'est un arrangement qui pourrait satisfaire tout le monde. Savez-vous quel va être votre premier job de père?

— Non, pas vraiment.

— Vous allez trouver un emploi d'été à

votre fils. À quatorze ans, passer l'été à balconville n'a rien de réjouissant. Il oubliera tout ce qui lui manque. Ce travail le fera vieillir un peu et il comprendra mieux sa responsabilité dans la famille. Enfin, vous connaissez mieux que moi tous les avantages du travail estival. Mais je vous préviens que ce ne sera pas facile à ce temps-ci de l'année et il n'a que quatorze ans.

— Vous me mettez du pain sur la planche.

— Pardon. Je suis en train de vous organiser, n'est-ce pas?

— Bien non, ça me plaît. Quand je vous ai appelée, j'étais vraiment très abattu. Vous m'avez donné un nouvel élan. J'ai hâte maintenant que la semaine passe.

— Bravo! Je suis contente de vous avoir été utile.

— Je vous invite à souper maintenant?

— Bien... oui, j'accepte. Au diable ce que j'avais à faire! Demain est une autre journée!

Repas délicieux.

Très agréable, le tête-à-tête.

Je devrais m'octroyer ce plaisir plus souvent.

J'ai l'impression de vivre.

Opération: à la recherche d'un emploi d'été.

Dès le lendemain, je me mets à l'œuvre.

Restaurant, pelouse, club de golf? Tiens, pourquoi pas? C'est intéressant: travail à l'extérieur.

«Ah, presque tout le monde utilise une voiturette maintenant? Bon! Peut-il ramasser les balles aux abords du terrain? J'imagine que oui. Pourrait-il compléter son premier travail en aidant à l'entretien des pelouses? De mieux en mieux! Pas avant dix jours? C'est mieux que rien! Merci. Son nom? Ah, j'oubliais. C'est Alain Dupuis. Lui dire de se présenter dans une semaine pour lui montrer le travail à effectuer? Bien sûr! Comptez sur moi. Merci encore.»

Voilà qui n'est pas si mal!

Je suis fier de moi.

Durant ce temps, je commencerai à l'initier à l'ordinateur.

Ensuite, il rentrera toutes mes données.

Maintenant, attendre pour téléphoner. «Que la poussière tombe».

Semaine qui s'étire à n'en plus finir!

Semaine de pluie chaude, d'atmosphère pesante, d'humidité très forte. On étouffe en ville!

La fameuse canicule de juillet!

Enfin, six jours sont passés!

Je n'en puis plus d'attendre!

Avec appréhension, je compose le numéro.

— Mme Dupuis, s'il vous plaît.

— Elle est pas là.

— Je rappellerai, merci.

C'est vrai, j'aurais dû y penser. Elle travaille à l'usine.

Heureusement, ce n'est pas Alain qui a répondu.

Je n'aurais su quoi lui dire.

L'attente de nouveau!

Quelle sera la réaction de cette mère?

Durant les six derniers jours, je n'ai jamais imaginé qu'un seul scénario: puisque je trouvais du travail à Alain, elle accepterait facilement ma proposition et je commencerais tranquillement mon apprentissage de père d'un garçon de quatorze ans.

Et si elle n'acceptait pas?

Dix-sept heures!

Non. Il faut que je mette toutes les chances de mon côté. En arrivant de travailler, elle est sûrement fatiguée. Aussi bien lui donner le temps de récupérer.

Attendre encore!

Je suis fébrile, ma vie s'arrête!

L'instant est tellement précieux pour moi: il va changer le cours de ma vie.

Je devrais prendre le temps d'écouter les nouvelles et de manger. Ça occupera mes cellules qui sont branchées sur l'horloge!

Enfin dix-huit heures trente!

— Madame Dupuis? Bernard Trudel à l'appareil.

— Encore vous. Qu'est-ce que vous nous voulez?

Ce n'est pas tout à fait ce que j'avais imaginé!

— Vous avez cinq minutes? Je voudrais vous entretenir d'un projet...

— Je vous en donne pas plus. Faites ça vite, j'ai pas rien que ça à faire, moi, vous écouter!

Entrons le plus vite possible dans le vif du sujet.

— Je veux vous dire que j'ai trouvé un emploi d'été pour Alain...

— Depuis qu'il est revenu de l'hôpital, il n'a pas desserré les dents. Il s'enferme toujours dans la chambre, il empêche ses frères d'y entrer. Vu que c'est l'été, je lui demande de faire un peu de ménage et de s'occuper de ses frères. Inquiétez-vous pas, il fait rien, strictement rien. Pis vous, vous voudriez qu'il aille travailler ailleurs, alors qu'il est même pas capable de faire ce que moi je lui demande? Ben voyons! Qu'il commence d'abord par se ramasser ici et après, on verra.

Je fonce tout de même.

— Il travaillerait sur un terrain de golf. Il serait payé au tarif de cinq dollars l'heure. C'est un travail à l'extérieur, ça devrait lui faire du bien, le grand air. Et on est prêt à lui garantir entre trente et quarante heures de travail par semaine. Durant ce temps-là, Madame Dupuis, vous sauriez où il est. Sans compter qu'Alain pourrait se servir de ce petit salaire pour s'habiller lui-même, payer ses petites dépenses. Vous n'auriez plus cette charge financière. Pensez-y comme il faut avant de refuser.

— Y a-t-il un bar où ils servent de la boisson?

— Il est à l'intérieur. Alain n'y aura pas accès. Lui, il travaillera sur le terrain de golf. Ça ne pourrait que lui faire du bien.

L'argument financier a du poids pour elle. Elle se fait encore tirer l'oreille et finit par accepter.

— Au moins, il passera pas toutes ses journées enfermé.

Bon! J'ai gagné mon premier point. Il me faut maintenant jouer plus serré.

— Je veux vous parler d'autre chose, Madame Dupuis...

Je sens sa méfiance augmenter.

— ... J'ai rencontré Mme Robinson, la professeure responsable d'Alain durant son année scolaire. Évidemment, vous vous en doutez bien un peu, nous avons parlé de votre garçon. Elle l'aime bien.

— C'est une bien gentille personne, Mme Robinson.

— Elle me conseillait de m'occuper encore plus de votre fils.

— De quoi elle se mêle, elle?

— Alain a quatorze ans. Son père n'est plus à la maison et vous faites votre possible, nous le savons. D'ailleurs, nous ne vous accusons de rien. Mais à cet âge-là, les garçons ont besoin d'une présence masculine, d'une image à laquelle s'identifier...

— Pis vous croyez que vous pourriez jouer ce rôle-là. Vous avez même pas d'enfants vous-même. Tout ce que vous voulez, c'est me faire voir que je suis pas assez bonne pour l'élever moi-même. C'est comme si je le donnais en adoption à quelqu'un d'autre.

— Ne le prenez pas comme ça, Madame Dupuis. Je ne veux pas vous le prendre, je veux juste vous aider. Je sais que ma démarche vous paraît bizarre, mais croyez-moi, mes intentions sont tout à fait désintéressées. Je n'ai pas d'expérience, vous avez bien raison, mais j'ai peut-être en dedans de moi quelque chose qui peut l'aider.

À l'autre bout du fil, j'entends des reniflements.

— ... Je ne veux pas vous faire de peine, Madame Dupuis.

— Je trouve ça assez dur d'élever les trois garçons toute seule.

Cri qui jaillit d'un cœur au bord des lèvres.

— Je pourrais vous donner un coup de main pour le plus vieux, en tout cas. Avec tout ce qu'Alain vous a raconté sur moi, c'est clair qu'il cherche une référence masculine.

— Son père s'en est jamais occupé.

— Raison de plus pour qu'un homme prenne en main votre adolescent.

— J'aime pas vous voir tourner autour d'Alain. Les voisins, qu'est-ce qu'ils vont dire?

— Je n'ai pas l'intention de tourner autour, comme vous dites. Auriez-vous peur de... certains comportements?

— Pour tout vous dire, oui.

Et elle pleure de plus belle.

— Franchement, faites-moi un peu plus confiance. Ce n'est pas parce que je ne me suis pas marié que je suis porté vers les p'tits gars.

— On en lit tellement dans les journaux. Ils racontent des histoires épouvantables à pleines pages.

— Je peux vous affirmer que ce n'est pas mon cas.

Est-elle rassurée? En tout cas, ses pleurs ont diminué.

— Alors, vous allez faire quoi avec Alain?

Décidément, je ne m'habituerai jamais à sa façon de poser les questions.

— D'abord, il va travailler, puis moi aussi. Quand il aura du temps libre, je lui expliquerai le fonctionnement de mon ordinateur.

— Il sera encore chez vous.

— On ne peut pas faire autrement. Tenez, si ça peut vous rassurer, Alain pourra amener son frère s'il le veut...

Je pense dans mon for intérieur que j'en doute beaucoup parce qu'il veut qu'on s'occupe de lui tout seul.

— ... Je peux l'initier tranquillement à la comptabilité, si ça l'intéresse.

— Oui, tout ça, c'est bien beau. Ensuite?

— Écoutez, il ne s'en vient pas prendre racine chez moi. Je ne veux pas vous le voler. Il viendra chez moi quand il le voudra, avec qui il voudra, son frère ou un ami.

— Il a pas d'amis.

— Oui, je sais. Je veux qu'il se sente à l'aise aussi bien chez moi que chez vous.

— Il se sent pas à l'aise ici en tout cas.

— Enfin, c'est une façon de parler. Vous comprenez ce que je veux vous dire. Je veux être présent à lui comme un père peut l'être avec ses enfants. Un père n'est pas tout le temps sur les talons de son gars, mais il est là quand le jeune en a besoin. C'est tout!

— C'est tout?

— Qu'est-ce que vous voudriez qu'il y ait d'autre?

— Je sais pas. Je voudrais vous poser une question à mon tour.

— Allez-y. J'essaierai de vous répondre le plus honnêtement possible.

— Pourquoi vous faites tout ça pour lui?

Je reste sans voix. Je n'ai jamais verbalisé les raisons de mes agissements.

— Bon! Par quoi je commence? Premièrement, quand quelqu'un me demande de l'aide, ça ne me laisse jamais indifférent.

À plus forte raison, un jeune puisque je n'en ai pas... Deuxièmement, ma vie n'a toujours été remplie que par du travail et je n'ai jamais pris soin d'autre personne que de moi-même. Je dois être saturé... Troisièmement, une tentative de suicide faite par un jeune doit être prise très au sérieux. J'estime que c'est très grave. C'est ce qui m'a donné le coup de grâce. Je m'en voudrais terriblement de le laisser tomber maintenant. Imaginez, s'il se produisait quelque chose d'encore plus tragique...

Sanglots au bout du fil.

— Qu'est-ce que j'ai fait de mal pour qu'il en arrive là? J'ai pourtant essayé de faire de mon mieux.

Est-ce qu'il faut toujours un coupable?

— C'est à lui qu'il faut poser la question. Je ne peux pas vous répondre pour lui.

— On se parle pas. Il veut pas. Jamais. Il me regarde même pas. Quand on se parle, c'est pour s'engueuler. Je suis trop vieille pour lui, je comprends rien, je suis de l'autre génération. Il me répète sans arrêt que je suis pas moderne. Avec tout le travail qui me tombe sur les bras, j'ai pas le temps d'être moderne. Je pense qu'il a honte de moi. Pourtant, j'ai rien fait pour mériter ça.

Et je réalise en même temps dans quel gouffre je suis tombé, tête baissée.

Pourquoi parlerait-il plus facilement avec moi?

Ai-je été trop téméraire?

— Vous savez, je n'ai pas de recette miracle. Je suis comme vous, je vais faire de mon mieux. On peut toujours appeler ça un bout d'essai, si vous le voulez bien. Je répète que je ne viens pas vous arracher votre gars, je veux rester en communication avec vous pour savoir si ça convient à Alain, pour constater s'il fait des progrès, pour vérifier si vous, vous êtes contente, s'il commence un peu à s'ouvrir avec vous. Disons que je le fais par philanthropie; au jour de ma mort, j'aurai l'impression d'avoir accompli au moins une bonne action dans ma vie. Ce qui serait bien, c'est qu'on puisse le faire pour chacun des adolescents mais ça n'est pas possible.

— Vous avez ben l'air à y tenir!

— Je viens de vous le dire, laissez-moi réaliser cette bonne action, Madame Dupuis.

— O.K. Mais à la moindre chose de travers, je vous avertis tout de suite que je vais vous mettre à la porte. Vous êtes là pour le bien de mon gars, restez-en là.

— Merci, Madame Dupuis. Vous allez voir que vous avez pris une bonne décision.

— Bon! Alain est sorti. Quand il va

rentrer, je vais lui laisser un mot sur la table, il vous appellera.

Je lui donne le nom du terrain de golf, l'adresse et le nom de la personne avec qui Alain doit entrer en contact.

— Au revoir, Madame Dupuis. Souhaitons-nous bonne chance!

— Merci, Monsieur Trudel...

Puis elle ajoute tout bas:

— ... j'espère que vous allez réussir.

— Avec votre bénédiction, j'en suis sûr!

CHAPITRE 4

Il serait peut-être temps qu'on me fasse de la place dans ce livre-là.

Vous avez lu mon père (façon de parler, mon géniteur, comme ils disent), ma mère, mon prof, Bernard.

Pis moi là-dedans?

On fait mon procès pis on voudrait pas écouter ce que moi, j'ai à dire?

Voyons! Ça se fait pas!

Les absents ont toujours tort, n'est-ce pas?

Ben, pas moi!

Je vais y être dans ce livre-là, que ça vous plaise ou pas.

Je vais le crier, s'il le faut.

Mais vous tournerez pas la page avant de m'avoir lu, moi aussi.

Ils disent que je suis révolté.

Ils s'imaginent qu'ils ont tout dit.

C'est le résumé de ma vie, ça?

Juste ces trois petits mots-là?

Trop facile! Trop simplifié!

L'étiquette, on la colle, pis après, on s'arrange pour que tout aille avec l'étiquette.

Ben, moi, je cadre pas là-dedans.

Débrouillez-vous avec vos problèmes d'étiquettes!

C'est pas révolté que je suis, c'est écœuré, comprenez-vous ça, ÉCŒURÉ.

Écœuré de toute la gang d'hypocrites qu'il y a autour de moi!

Écœuré du système.

Écœuré du monde, de toute la gang!

Qu'est-ce que j'ai eu à date, moi, de la vie?

De la marde!!!

J'ai-t'y demandé à venir au monde? Non!

J'ai-t'y demandé à vivre dans cette famille-là? Non!

À moi, on m'a jamais demandé mon avis!

Ferme ta gueule, pis mange.

Ferme ta gueule, pis marche.

Ferme ta gueule, pis écoute.

Ferme ta gueule, pis écris.

Si j'avais plus le goût de me la fermer, moi?

Si j'en avais trop à dire pour que ça reste en dedans?

J'étouffe!

Tant que tout ce que t'as à dire, c'est dans le sens de papa-maman, tout le monde te trouve beau et gentil.

Restes-en là!

Essaie pas de commencer à avoir trop d'opinions par toi-même, c'est mal vu!

Commence pas à dire tout haut ce que tout le monde pense tout bas, c'est mal vu!

Commence pas à voir clair dans leur jeu, c'est mal vu!

Commence pas à vouloir leur montrer que la roue tourne pas aussi bien que ça, t'es rien qu'un petit morveux qui a encore la couche aux fesses et qui veut en montrer à tout le monde!

Intelligent? Bravo!

Mais juste pour voir ce qu'ils veulent bien te démontrer.

Tu t'exprimes? Parfait!

Mais juste pour dire ce qu'ils ont le goût d'entendre.

Moi, un encensoir, jamais!

Tais-toi.

Réponds pas.

Regarde en avant.

Maudite gang d'hypocrites.

Grandir, c'est pas ressembler à ses parents, c'est ressembler à soi-même.

Pas le droit!

Vos beaux principes, vos belles théories à la con, ça tient jamais le coup dans la réalité.

Drapez-vous dans vos mensonges.

Les grands ont toujours raison? Est-ce que je devrais avoir hâte de vieillir?

Jamais je vous ferai confiance, vous êtes pas logiques!

Vous aimez que votre petit nombril, que votre petit confort.

Regardez-vous courir tout le temps comme des imbéciles.

Vers quoi? Le savez-vous?

Vers votre tombe!

Aussi ben que je vous pousse dedans tout de suite!

Au moins, on aura la paix!

Manger, dormir, travailler!

C'est ça votre vie!

Pensez-vous que ça nous fait envie, à nous autres les jeunes?

Ça nous donne juste le goût de décrocher tout de suite!

Vous voyez rien autour de vous autres, vous prenez jamais le temps.

Vous nous faites grandir dans un monde sans temps.

Oui! Vous autres, vous dites que vous prenez le temps de faire des affaires, de faire des rencontres, le temps d'aller manger, d'aller dormir, d'aller pisser.

Mais prendre le temps, c'est pas ça! C'est ne pas calculer le temps justement. C'est le laisser passer à faire des hommes de nous autres ou à ÊTRE des hommes. Mais vous connaissez pas ça. C'est toujours: allez, grouille-toi, on va être en retard!

Où est-ce qu'elle est la place pour moi là-dedans?

Je suis de trop!

Vous vous arrêtez jamais!

Des vraies queues de veaux!

Mes choses, mes peurs, mes angoisses, mes chagrins, où je les dis?

À qui je les dis?

Ôte-toi du chemin, tu mets des bâtons dans les roues.

Pas le temps de réfléchir, faut rapporter de l'argent!

ÉCŒURÉ.

Pas d'amis!

Je suis toujours tout seul!

Orphelin!

Si mon père et ma mère étaient pas là, au moins, je saurais pourquoi je suis orphelin!

Orphelin de cœur!

Tout seul!

Je me sens tellement isolé!

Je me sens tellement différent des autres!

Les autres, ils ont tout ce qu'ils veulent. Ils sont ben habillés, ils ont tout le temps les dernières cassettes qui viennent juste de sortir.

Pas moi!

J'ai rien!

M'avez-vous regardé?

C'est ben sûr que je dis tout le temps que le linge, c'est pas important.

J'ai pas les moyens de dire autre chose!

Rien de tout ce que je voudrais n'est important!

J'aurais le goût de brailler, juste pour que quelqu'un me console!

Une voix douce, des bras qui me disent: ça va passer, pleure un bon coup!

Mais non!

Les gars, ça raconte pas leurs affaires.

Des tapettes!

C'est la règle!

Faut pas se laisser écœurer, faut être dur, faut avoir l'air baveux!

Faut jamais montrer ta faiblesse, sinon c'est l'autre qui te fonce dessus.

Écœure, si tu veux pas te faire écœurer!

Jamais te laisser impressionner, sinon t'es fait à l'os!

Toute la gang va te respecter ensuite.

Même si, en dedans, t'as juste envie de brailler, t'as les jambes comme du coton!

Fonce!

Marche!

Ferme ta gueule!

Aux barricades tout le temps!

Je suis plus capable de me la fermer!

J'étouffe!

Je trouve ça dur d'être un gars!

J'aurais le goût de m'étendre, de dormir jusqu'à vingt ans, pis là, de me réveiller dans un monde beau, où tout le monde s'entend, où tout le monde rit, où il y a plus de guerre, plus de pollution, plus de crimes au bord des rues, plus d'enfants abandonnés par leurs parents, plus de vengeance entre les pays, plus de larmes au bord du cœur!

Pollué jusqu'à la moelle!

C'est comme ça que vous nous laissez le monde.

C'est de la pourriture que vous nous laissez en héritage!

Vous salissez tout ce que vous touchez!

Vous faites tout pourrir!

Vous êtes des mauvais jardiniers!

C'est pas tout de semer des graines! C'est la chose la plus facile au monde!

C'est pas tout de sarcler! Vous vous en privez surtout pas, vous avez la main agile pour ça!

Faut aussi arroser!

Faut regarder pousser avec amour!

Faut cueillir du bout des doigts!

Faut caresser les fruits pour qu'ils soient beaux!

Maudit que je trouve ça dur, d'être obligé de vivre!

Qu'est-ce que ça me donne?

Ça va être de même tout le temps?

Jusqu'à soixante ans?

Non merci!

J'en veux pas!

Je sais même pas ce que je veux faire dans la vie.

Je sais, en tout cas, ce que je veux pas!

Vous ressembler!

Ça, jamais!

Ressembler à mon père?

L'avez-vous regardé comme il faut?

Il s'est jamais occupé de nous autres, sauf quand il y avait de la visite: ça, c'est mon fils!

La fierté d'avoir mis la graine de départ, en voilà toute une fierté!

Il est gros, mon père.

Pas étonnant avec toute la bière qu'il boit!

Il sent la sueur, il rote, pis quand il est saoul, il frappe tout ce qui crie plus fort que lui, pis il s'écrase et il dort.

Ou ben, il te fout une volée parce que t'oses dire une phrase qui lui plaît pas.

Si c'est à ça que je vais ressembler quand j'aurai son âge, aussi ben me tuer tout de suite.

Je vas rendre service à l'humanité!

Quand il est parti, personne l'a regretté.

Bon débarras!

Mais ça n'a rien arrangé!

Les visites, la fin de semaine!

Avez-vous déjà vu une plus grosse farce que celle-là?

Le droit d'être là physiquement, oui!

Ferme ta gueule!

Écoute pas la télévision trop fort!

Dérange pas!

Demande rien!

Dans ces conditions-là, le droit de visite chez ton père, tu t'en passerais!

Le voisin te traiterait mieux que ça!

Au moins, il serait poli. Il te ferait pas tout le temps voir que t'es de trop!

Ça, c'est rien. Depuis que la putain est entrée dans le portrait, c'est encore pire!

Mon père se gêne pas devant nous autres pour dire ses grosses farces cochonnes avant d'aller la baiser. Faut croire que ça l'excite!

Ben pas moi!

C'est à se tordre de pleurer!

Je l'aurais battu, mon père, pour le réveiller.

Je l'aurais tiré, je l'aurais étranglé de mes propres mains.

Mais ç'aurait rien donné. Il a jamais rien compris.

C'est au-dessus de ses moyens, comme tout ce qui est au-dessus de sa ceinture!

Vous voudriez que je sois fier de mon père?

Peux pas!

Pourtant... j'aimerais ça être avec un vrai père. J'en vois d'autres gars qui font des activités avec leur père. Ils ont l'air bien ensemble. Leur père prend le temps d'être avec eux autres. Ils rient ensemble, ils jouent au baseball ou ils vont à la pêche ou ils bricolent.

Vous trouvez ça juste, vous autres?

Pourquoi que moi j'ai pas le droit d'avoir un père qui s'occupe de moi, qui m'emmène avec lui, qui me sourit pis qui pourrait être fier de ce que moi je fais?

C'est toujours les mêmes qui ont tout...

Me semble qu'en naissant, on m'avait

promis plein d'affaires et que quelque part, quelqu'un n'a pas tenu ses promesses.

Ma mère? Elle est toujours fatiguée!

Ça fait qu'on la dérange!

Elle comprend rien, elle est tellement étroite d'esprit!

On est en 1990, pas en 1940!

Elle voudrait nous élever avec les mêmes principes que ses parents!

Pour ce que ça a donné!

Ah! Du monde qui a du cœur au ventre!

Du monde qui sait travailler!

Pour ça, oui, elle a ben raison!

Y a pas que ça dans la vie, travailler, travailler!

Elle a que ce mot-là dans la bouche!

Je peux pas trop parler contre ma mère, c'est elle qui a décidé de nous garder avec elle.

Mais si elle essayait juste un peu de se moderniser, de lâcher les vieux principes de son arrière-grand-mère!

Elle est arriérée, ç'a pas d'allure!

J'aime autant pas lui parler, elle comprend rien!

D'ailleurs si je le fais, elle m'interrompt tout le temps, pis là, elle me fait ses grands sermons.

J'en ai pas besoin de sa morale!

Même si je fais semblant que je comprends pas, je le sais ben qu'elle a raison dans le fond. Mais elle est pas obligée de me répéter tout le temps que dans son temps à elle... qu'avec la petite expérience qu'elle a...

T'as pas d'autre chose à faire, tu te la fermes, pis tu fais semblant d'écouter.

Ben là, j'écoute plus, je m'en vais avant!

Elle fume comme une cheminée, elle est grosse comme un pou.

C'est sûr, elle brûle au fur et à mesure tout ce qu'elle a de bon!

Elle arrive fatiguée, ça fait qu'elle gueule tout le temps.

Si elle nous parlait sur un autre ton, on le ferait!

La moindre petite affaire, ça lui tape sur les nerfs!

Tout ce que tu dis, tout ce que tu fais, elle le prend de travers.

Il y a des fois où je vois bien qu'elle est débordée, alors je m'arrange, mine de rien, pour en faire un peu. Mais elle revient, pis elle se met à gueuler.

Il y a jamais rien qui fait son affaire!

Quand elle rentre dans la maison, elle dit jamais bonjour, elle voit juste la petite affaire qui cloche.

Ça fait que je fais plus rien.

Au moins là, elle a raison de gueuler.

Pis aussi, j'aime mieux plus rien dire, on se pogne tout le temps!

On est pas sur la même longueur d'ondes!

Elle vit encore à l'époque des colons: mange, travaille pis dors!

Tu sais, quand t'as le goût de parler de ce qui te fait mal en dedans, pis tu vois que l'autre a pas le temps, ou qu'elle a pas le goût de t'écouter, ou que t'as pas envie de te faire dire la morale, ben tu t'enfermes dans ta chambre!

Ou ben tu mets la télévision au max pour être sûr que t'entendras plus rien de la chienne de vie!

Des fois, j'aimerais ça me faire bercer.

«Décolle, t'es trop grand!»

Je pense que ma mère a peur de nous embrasser. Elle aurait l'impression de faire des choses pas belles.

Pis pourtant, il y en a d'autres qui le font, ç'a l'air naturel! Ç'a l'air bon!

Elle a donc jamais voulu, elle, que sa mère l'embrasse?

Y aura donc jamais une lumière dans le tunnel, quelque part?

C'est complètement bouché!

Bouché sur tout les fronts!

Avec des gens bouchés, ça peut pas être autrement!

Je peux vous dire quelque chose, je sais bien que ça n'ira pas plus loin que le livre. Tant qu'à se vider le cœur, faisons-le complètement.

J'ai fait des fugues. Plusieurs. Ben trois ou quatre, je le sais plus.

La première, c'était à neuf ans. Un essai. Avec Bernard.

Quand je l'ai vu dans la rue, j'ai trouvé qu'il avait l'air bon, mélancolique aussi. Il dégageait quelque chose.

Je venais une fois de plus de m'engueuler avec mes parents et j'étais décidé à partir. Je savais pas où ni pour combien de temps.

Tout ce que je voulais, c'était sacrer mon camp.

Et j'ai vu Bernard.

Je me suis dit dans ma tête d'enfant que c'était avec lui que je voulais vivre à l'avenir.

J'aurais pu être heureux avec lui.

Vous savez le résultat que ça a donné.

Fallait-il que je sois niaiseux, imbécile ou trop jeune pour pas avoir pensé aux conséquences.

Le lendemain matin, quand je me suis levé, j'aurais été mieux de rester couché.

Mon père m'attendait avec sa ceinture... dans les mains. J'en ai mangé une maudite!

En même temps que les coups pleuvaient, en même temps je comprenais ce qu'on essayait de me faire comprendre pour la vie: faut que tu restes chez vous, avec les parents que t'as: un point, c'est tout.

Endure pis ferme ta grande gueule!

C'est le lot qui t'a été attribué.

Pourquoi que c'est pas le même pour tout le monde? Il y en a qui sont heureux avec leurs parents. Il y en a qui ont des parents qui les aiment, qui leur disent qu'ils les aiment, qui les embrassent, qui les battent pas pis qui rentrent jamais ivres-morts.

À neuf ans, même si on est petit, on peut pas se résoudre à ça pour la vie. Aussi bien mourir tout de suite!

Tant que c'est endurable, t'es prêt à faire un effort, mais faut pas dépasser une certaine limite.

Et j'ai fait une deuxième fugue, une deuxième tentative.

Pas du côté de chez Bernard! Lui, je l'avais rayé!

Chez ma grand-mère, la mère de mon père.

Mon père était rentré saoul et il était

tombé à bras raccourcis sur ma mère. Elle hurlait de terreur, mes frères aussi.

Qu'est-ce que tu peux faire quand t'as onze ans, que ton père est plus gros que toi, quand, de toutes façons, tu sais que ça va se retourner contre toi?

Je me sentais tellement impuissant, tellement un incapable. Je pouvais même pas consoler ma mère. Mon père était entre elle et nous autres. Il m'a juste crié de faire taire mes petits frères. Ce que j'ai fait tout de suite.

J'avais pas le choix: c'est eux autres qui y seraient passés ensuite.

Mais je l'aurais tué s'il avait osé faire ça!

J'ai appris plus tard que le viol, ça existait entre mari et femme.

Ce qui me révoltait le plus, c'est que ma mère ne réagisse pas. Elle acceptait tout ça comme un mal nécessaire.

Mon père, un mal nécessaire!

C'est écœurant!

C'est pour ça que j'avais pas le goût de la défendre, ma mère.

Je pense qu'elle se révoltait pas à cause de nous autres.

Si elle avait compris combien j'en voulais à mon père!

Le lendemain matin, avant de partir pour l'école, j'ai ramassé du linge, je l'ai fourré dans mon sac d'école pis je suis parti avec la ferme intention de plus remettre les pieds à la maison.

J'étais plus capable de supporter tout ça.

Une femme qui ne se révolte pas, qui reste là quand son mari la bat, pour moi, c'est une femme qui a pas de caractère: elle se comporte comme une victime.

Moi, je marierai jamais une femme victime. Si jamais je perds les pédales au point de la menacer ou de la battre, j'espère qu'elle va me sacrer là ou me ficher une bonne raclée pour me réveiller.

Je mériterai pas d'autre chose que ça, j'aurai couru après.

Je vivrai jamais avec des femmes soumises comme ma mère. Ma blonde, je vais la respecter, pas m'essuyer les pieds dessus.

Après l'école, je suis allé chez ma grand-mère et je lui ai raconté ce qui se passait chez nous.

Si je m'attendais à me faire prendre en charge, ben là, je me suis mis le doigt dans l'œil jusqu'au coude.

À onze ans, on peut pas imaginer que les grands sont malhonnêtes.

J'aurais dû y penser: c'était la mère de mon père!

Premièrement, elle m'a pas cru. Ensuite,

elle m'a traité de petit maudit... que j'inventais ça pour caler mon père parce que je l'aimais pas. Enfin, si je rentrais pas immédiatement chez nous, c'est elle qui me battrait.

J'étais pas plus avancé.

Je suis retourné chez nous, la mine basse, mais seulement dans la soirée.

Ç'a été une erreur!

Évidemment ma grand-mère avait appelé mon père et j'ai eu droit, quand je suis enfin rentré, à l'ovation d'honneur!

Il sacrait en même temps qu'il me lançait sur les murs et me donnait des coups de poing et des coups de pied sur tout le corps.

Quand ma mère a vu le sang pisser, elle s'est décidée à intervenir, sinon, je pense que j'y serais resté. Elle a tiré mon père par le bras et l'a forcé à s'asseoir pendant qu'elle évitait de justesse un coup de poing à la tête.

J'ai eu un œil au beurre noir et la lèvre enflée pendant une semaine.

Tu penses qu'après ça, tu peux respecter ton père?

Jamais! Plutôt mourir!

Et mon univers s'assombrissait de plus en plus.

Je voyais pas le jour d'en sortir.

Je voyais pas le bout du tunnel.

J'étais complètement dans le noir.

Personne pour en parler.

J'avais pas d'amis.

Je me méfiais de tout le monde.

— Les adultes, ils vont répéter ça, pis t'as le psy ou le directeur aux fesses, ils te font raconter ton histoire, ils l'étalent dans leurs dossiers ou bien ils te rapportent au Bureau de la jeunesse.

Je voulais pas raconter ma vie à tout le monde.

Je voulais pas voir le monde tripoter dans mes affaires.

Je voulais m'en sortir tout seul.

Je savais pas comment.

J'avais l'impression de m'enfoncer de plus en plus dans du sable mouvant.

La vie était plus tenable à la maison. Mon père s'était mis à courailler. Des fois, il rentrait pas coucher.

On a vite compris ce que ça voulait dire.

Il se cachait de moins en moins avec sa putain: vingt ans, l'air d'une garce!

C'était bien le style à mon père!

Un jour, j'ai dit à ma mère de le mettre dehors. Elle voulait pas, j'ai jamais compris pourquoi.

Alors je suis parti. Cette fois-là, j'étais bien décidé à plus revenir tant que mon père serait chez nous et que ma mère l'accepterait de même.

J'avais treize ans et je suis resté deux nuits en dehors.

Ma mère a pas mis la police après moi mais elle a vu que j'étais sérieux.

Comme j'avais personne chez qui aller, je suis rentré.

Mon père y était plus: il avait définitivement emménagé chez sa putain.

J'ai essayé de questionner mon frère Éric pour savoir ce qui s'était passé. Il a jamais voulu me le dire. J'ai eu l'impression qu'il m'en voulait d'être parti, que ça avait causé une peine encore plus grande à maman. Il a voulu me punir. Mais moi, je savais que j'avais eu raison de le faire même si les apparences étaient contre moi.

Après, ma mère m'en a voulu. Elle souhaitait peut-être faire un ménage à trois, avec la putain de mon père?

Moi non plus, je lui parlais plus.

Le fossé s'est creusé de plus en plus entre nous deux.

Me semble qu'elle aurait dû être plus heureuse comme ça, non?

Enfin libérée de mon père!

Elle, elle pensait pas comme ça!

Un beau jour, elle s'est décidée à lui demander le divorce.

Enquête, entrevue des trois enfants.

Ma mère voulait nous garder.

Mon père, selon moi, aurait dû avoir droit à rien du tout.

Pourquoi a-t-il demandé à nous voir?

Pourquoi on lui a accordé ce droit?

Nous autres aussi, c'était notre droit de vivre en paix, loin de lui!

Je comprendrai jamais.

Qu'est-ce que vous pensez que trois gars font chez leur père deux fins de semaine sur quatre dans un petit appartement de quatre pièces et demie?

Avec rien?

Dans un deuxième étage?

Encore chanceux que la télévision soit inventée!

Tu te marches sur les pieds. Tu te fais menacer et engueuler.

Ah! ça, c'était encore le sport favori de mon père et croyez-moi, il avait rien perdu de sa vitalité.

Ni de la raideur de la claque!

Tant que c'était moi qui prenais les coups, bah, ça allait. Mais quand il s'en est pris à mes deux petits frères, là, j'ai vu rouge.

Qu'il les laisse en dehors de ça, qu'il les laisse vivre eux autres!

Ils ont beau avoir tous les défauts du monde selon lui, il leur touchera pas. Je vais le tuer avant.

On est restés tout le temps chez ma mère.

C'était pas mieux, c'était l'enfer total!

Bernard, lui, c'est un drôle de gars.

Il arrive pas à se brancher.

On voit que ça lui tente, mais il hésite et finit par rien faire!

Il est pas plus avancé!

C'est un ermite!

C'est un égoïste!

Difficile de le faire sortir de sa petite routine!

Le plus important dans sa vie, c'est de la gagner justement!

C'est un vieux garçon!

Il est bizarre!

Il y a une petit voix qui me disait que ça aurait pu marcher entre lui pis moi.

Lui était prêt à me donner ce dont j'avais besoin. En tout cas, c'était ce qu'il disait, mais il arrive jamais à se brancher.

Quitter son petit confort, ça, c'est inquiétant!

Te jeter à l'eau quand tu sais pas nager, c'est pas rassurant!

T'es pas obligé de te jeter dans cinq mètres d'eau! Tu peux regarder où sont les bouées avant!

Je peux pas, qu'il me disait!

C'est pas vrai qu'il peut pas!

Il veut pas!

Ma mère m'a toujours répété: quand on veut, on peut.

Ici, c'est plus vrai?

Ça s'applique juste quand ça fait leur affaire!

Il y a toujours une règle différente pour les adultes!

Lui, je pensais qu'il aurait pu être différent.

Non! Il est comme tous les autres!

C'est juste un adulte!

Ils sont tous pognés dans leur petit monde, avec des œillères!

Attention au précipice quand tu regardes à côté!

Prenez pas de risque, vous pourriez nous voir!

Vous pouvez ben vous étonner que les jeunes prennent des moyens marginaux, comme vous dites!

Vous nous regardez pas!

Vous nous écoutez pas!

Vous nous entendez pas!

Vous avez les écouteurs branchés sur votre nombril!

Jamais on vous ressemblera!

Les deux pieds pognés dans le ciment

de votre galerie fermée!

Vous oubliez que vous avez été jeunes, vous aussi!

Vous avez rêvé, vous autres aussi!

Vous avez chialé, vous autres aussi!

Peut-être avez-vous eu envie de tuer, vous autres aussi?

Est-ce que c'est si loin tout ça?

Avez-vous mis tout ça dans une case à part?

Tout ce qui s'éclate vous étonne?

Ou ça vous fait peur?

J'ai envie de hurler!

J'ai envie de vomir sur vous autres!

J'ai envie de me fondre dans le sable, de devenir un grain de sable pour l'éternité!

Au secours!

Je me noie!

CHAPITRE 5

Dring! Dring! Dring!

Dans mon rêve ou la réalité?

J'ouvre une oreille.

Le téléphone sonne toujours.

J'ouvre un œil sur mon réveille-matin.

Il est cinq heures du matin!

Indomptable, la sonnerie résiste toujours.

D'une voix embrumée, je réponds.

— Monsieur Trudel? C'est Madame Dupuis. Venez vite, c'est urgent! Faut conduire Alain à l'hôpital! Je viens de le trouver au bout de son sang. Il s'est ouvert les veines.

Je pousse un rugissement incrédule avant de reprendre mes esprits.

— Avez-vous fait quelque chose?

— Non, je vous ai juste appelé.

— Faites-lui un garrot immédiatement. Prenez un bout de tissu et serrez-lui le poignet au-dessus de la coupure. Perdez pas de temps, c'est une question par vie ou de mort. Faites-vous aider par vos gars si vous êtes pas capable. J'arrive!

Je sors en trombe de l'appartement.

Mes clefs!

Merde! J'ai oublié mes clefs!

La course pour récupérer mes clefs dans la poche de mon blouson!

Heureusement que je connais le trajet!

À cette heure, il n'y a pas de trafic.

Je fonce aussi vite que je peux!

Qu'est-ce qu'il a pensé?

Sa mère ne lui avait donc pas parlé?

On avait réussi à tout arranger.

Pour une fois, on était d'accord!

Pourquoi? C'est absurde!

Au fur et à mesure que je me réveille, les questions se pressent dans ma tête.

«Dans quel état est-il? Est-il inconscient? Va-t-on pouvoir le sauver?»

Si je m'en étais occupé au moment où il me l'a demandé, tout ça ne serait pas arrivé! Ça m'a pris trop de temps à me décider!

J'espère que je vais arriver à temps!

Dix minutes plus tard, je suis devant

la maison, je n'arrête pas le moteur, Mme Dupuis me fait déjà signe!

J'ouvre grandes les portières de l'auto, monte à toute volée les quelques marches, m'engouffre dans le logement.

Il fait un peu plus sombre. Mes yeux clignotent. J'aperçois ses deux frères qui se serrent l'un contre l'autre, hébétés de sommeil et d'angoisse.

J'entre dans la chambre.

Sur des draps rougis, gémit Alain.

Quel choc! Il a déjà perdu beaucoup de sang!

Vite, je vérifie le garrot.

La mère court en tout sens, désordonnée.

Une couverture!

Un des fils comprend ce que je demande et court en chercher une propre.

J'enveloppe Alain puis le dépose sur la banquette arrière de la voiture.

Durant tout ce temps, Mme Dupuis me suit, en se tordant les mains, pleurant, attrapant l'un après l'autre ses deux fils.

«Madame Dupuis, allez vous habiller!»

Elle se regarde: elle est encore en robe de chambre.

«Je vais faire ça vite!»

Dehors, les deux frères lèvent les yeux vers moi, chargés d'inquiétude, de douleur muette.

Je devine qu'ils n'ont qu'une seule interrogation: «Va-t-il mourir?». Ils n'ont qu'une seule exclamation: «On l'aime Alain, faut pas qu'il meure!»

Pourquoi faut-il toujours attendre les ultimatums pour exprimer les choses importantes de la vie?

«On va faire tout notre possible pour le sauver, je vous en fais la promesse. Je vais vous le ramener, votre frère, et en bonne santé! Après, il faudra que tout le monde s'aide!»

Pas un mot ne sort de leurs lèvres.

Des larmes silencieuses coulent le long de leurs joues!

Des clignements d'yeux envoient des messages de compréhension du drame qui se joue devant eux.

«Vite! Vite!»

J'agite la main en guise d'au revoir aux deux garçons figés sur le bord du trottoir.

Nous roulons en direction de l'hôpital.

Mme Dupuis sanglote sans retenue.

Je ne trouve rien d'autre à lui dire que: «Ne vous inquiétez pas, ils vont le sauver!»

L'hôpital est en vue. J'entre directement à l'urgence.

Civière.

On étend Alain, toujours inconscient, explique en deux mots ce qui s'est passé. Les infirmiers l'amènent immédiatement dans une autre salle dont on nous interdit l'accès.

Le seul souvenir qui nous reste, c'est une petite figure pâle, cireuse, aux yeux clos.

Un grand corps d'enfant abandonné sous des draps blancs.

Un grand corps inerte qui se laisse manipuler comme un pantin qu'il n'a jamais voulu être.

La vie n'est pas juste!

Je me laisse tomber sur une chaise.

Mme Dupuis fait de même.

Chacun s'absorbe dans ses pensées, dans les mêmes pensées.

Deux solitudes qui ne communiquent pas!

Que dire? Que faire?

La longue attente commence!

Mme Dupuis s'abandonne à ses larmes, des pleurs incontrôlables, désespérés.

J'aimerais pouvoir la rassurer, lui ôter l'inquiétude du cœur.

Qui le fera ensuite pour moi?

Des images défilent: l'innocence d'Alain, les rares instants où je l'ai vu sourire, ses demandes d'amour, ses colères, ses réponses butées, ses secrets bien enfouis en lui.

Tout ça ne peut pas se terminer brusquement ici?

Il aurait vécu quatorze ans pour rien?

Pour crier constamment son droit à l'amour?

C'est le seul côté que je connais d'Alain.

Quand il venait me voir, c'était pour me dire qu'il voulait qu'on l'aime. Il voulait se l'entendre dire.

La vie est mal faite.

Je n'ai jamais été en mesure d'obtempérer à ses demandes. J'avais les pieds et les mains liées pendant qu'il criait au secours.

Impuissant!

J'ai toujours été impuissant!

Égoïste aussi! Tellement centré sur moi-même que j'attendais toujours des solutions de l'extérieur!

Et je me surprends à prier.

«Mon Dieu, faites qu'il vive. Je m'en occuperai, je l'aimerai, je ne laisserai jamais personne lui faire de mal. Je m'occuperai de la famille entière, des deux petits frères. Mais je vous en conjure, qu'il ne meure pas!»

L'attente, longue à n'en plus finir!

Combien d'heures dépense-t-on pour ceux qu'on aime, à s'habiller le cœur, à guetter des sourires de satisfaction, des ravissements dans le regard, à espérer que le bonheur leur soit enfin donné!

Les yeux rivés sur la porte menant à la grande salle, je surveille les moindres allées et venues des gens.

Mme Dupuis fait de même.

Deux personnes fascinées par l'ouverture et la fermeture d'une porte!

De temps à autre surgit une infirmière en tunique verte mais elle ne se dirige pas vers nous.

À cette heure-ci, l'hôpital est encore presque désert.

Nous sommes à peu près seuls dans la salle d'attente.

Neutre, cette salle! Blanche!

Quelques anciennes gravures sur les murs, surtout des publicités contre l'usage de la cigarette ou pour les différents organismes de secours. Une distributrice de jus, de gâteaux ou de croustilles.

Quand on attend, on a faim?

Pas moi! Ça ne passerait pas!

Mme Dupuis a dû suivre mon regard.

Quand je me tourne vers elle, elle me fait signe que non.

Pauvre femme!

Elle est complètement vidée.

L'angoisse lui donne des yeux hagards, ses joues collent à sa peau, ses pommettes sont très saillantes et ses cheveux à peine ramassés tombent d'un chignon mal fixé.

Quelle vie mène cette femme?

Une course perpétuelle!

Une angoisse existentielle pour joindre les deux bouts!

Et on appelle ça vivre!

Quelle est sa raison de vivre?

Ses trois enfants? Mais elle?

On ne vit pas que pour les autres, c'est aberrant!

Enfin! Quelqu'un vient vers nous.

— Vous êtes la mère du jeune garçon qui s'est ouvert le poignet?

— Oui, oui.

— Eh bien! Il est hors de danger. Votre fils doit la vie à la vitesse avec laquelle vous avez réagi.

— Oh merci, merci! C'est sûr qu'il va pas mourir?

Et je me dis en moi-même: «Merci, mon Dieu, j'espère me montrer à la hauteur de ce que j'ai promis!»

— Puisque je vous le dis, madame. C'est vous qui avez fait le garrot?

— Oui, est-ce que j'ai bien fait?

— Vous avez bien réagi; comme ça, il a perdu moins de sang. Si le trajet avait été plus long, il aurait fallu que vous desserriez le garrot pour ne pas couper trop longtemps la circulation du sang. Il s'en est fallu de peu, vous savez. Il s'est coupé le poignet assez profondément.

— Est-ce que je peux aller le voir?

— Vous pouvez y aller, il dort. On lui a donné un sédatif. Ne faites pas le saut, il est branché. Ç'a l'air pire que c'est en réalité.

Mme Dupuis se lève en hâte pour aller au chevet de son fils. L'infirmière reste près de moi.

— Vous n'êtes pas le père de cet enfant?

Serrement au cœur.

Si j'avais été le père, rien de tout cela ne se serait produit.

— Non. Je ne suis pas non plus avec la mère. Je suis un ami de la famille.

— C'est bien Dupuis, son nom de famille?

— Oui.

— C'est bien lui qu'on a amené l'autre jour pour un lavage d'estomac?

— Oui, c'est bien le même.

Elle me lance un regard accusateur.

— Les parents ne font rien? Est-ce qu'ils ont consulté un psychiatre pour enfant, au moins un psychologue? Ce garçon joue un jeu dangereux. Il va finir par se brûler. Il a besoin d'aide, c'est clair.

Il vous envoie des signaux d'alarme. On ne meurt pas d'avoir avalé des aspirines, mais de s'être ouvert les poignets, oui!

— Nous sommes au courant. Il vit juste avec sa mère. Elle n'a pas les moyens de payer un psy à son fils.

— Bon! Je veux bien vous croire! Mais il a absolument besoin de rencontrer un spécialiste. C'est sérieux, même je dirais, très grave! Vous n'avez pas le droit de l'abandonner à son sort.

— Ne vous inquiétez pas. Je vais le prendre en main.

— Avez-vous des qualifications pour vous occuper de ce type de cas?

— Non, je n'en ai aucune. C'est moi que le garçon est venu voir quand il a avalé des médicaments. J'en conclus qu'il souhaite que je m'occupe de lui.

— Vous n'avez rien fait puisqu'il a récidivé. Je vous parle brusquement, n'est-ce pas? Mais, croyez-moi, un jeune qui tente de se suicider, je ne prends jamais ça à la légère. Un jour, il ne se ratera pas.

— Je n'ai pas eu le temps d'intervenir. Sa mère l'a retenu à la maison et je n'étais pas le bienvenu.

Elle me regarde soudain avec suspicion.

— Êtes-vous oui ou non un ami de la famille?

— C'est-à-dire que... c'est récent... Et puis, c'est trop compliqué à vous expliquer. Faites-moi confiance. Je ne suis pas un pédophile, ni un détraqué, si c'est à ça que vous pensez. Je suis un nouvel arrivé, un membre extérieur de la famille. J'entends tout faire pour apporter le plus de support possible à sa mère. Je peux vous dire qu'il y a deux autres garçons dans la famille mais le père est parti.

— Pauvres enfants!

— Ce n'est pas tout de les plaindre. Pour leur équilibre mental, c'est nécessaire qu'un homme assume ce rôle. C'est même urgent! J'ai parlé avec son prof et sa mère, qui est enfin d'accord pour que je sois plus présent auprès d'Alain pour le moment. Pour les autres, on verra ensuite.

— Avez-vous des enfants à vous?

— Non.

— Vous ne pensez pas que vous vous lancez dans une aventure? Vous voulez sauver quelqu'un d'un incendie et vous n'avez pas de boyau!

— J'ai ma bonne volonté et c'est ça qui est important. Je n'ai aucune expérience, vous avez raison. Est-ce qu'il en faut une pour prêter une oreille attentive, pour être à l'affût des besoins d'une personne? Est-ce que le père d'un premier enfant en a?

— Non, bien sûr! Mais vous ne l'avez pas vu grandir. Vous ne savez pas par quoi il a passé.

— Êtes-vous mariée?

Elle me regarde, interloquée.

— Oui

— Avez-vous vu grandir votre mari?

— Non.

— Et pourtant, vous savez lui faire plaisir. Vous avez des petites attentions pour lui. C'est en étant à ses côtés, en le respectant que je vais apprendre à l'écouter, à le deviner. Je vais apprendre à l'aimer pour lui donner ce qui lui manque.

— C'est beau de vous entendre. Vous avez tout un programme! Vous m'avez l'air d'avoir tout ce qu'il faut pour réussir. N'oubliez pas qu'à l'occasion, tout n'est pas rose dans le rôle d'un père et qu'un jour, il se rebellera peut-être contre vous aussi.

— Eh bien! On n'est pas rendu là. Vivons d'abord le moment présent. Sachez que je ne m'embarque pas dans une aventure, comme vous dites. Loin de là! C'est une décision qui aurait dû être prise bien avant aujourd'hui.

— Oh, vous savez, dans la vie, les choses arrivent au moment où elles doivent arriver!

— Bon! Est-ce que je peux voir

Alain, moi aussi?

— Bien sûr! Il va rester toute la journée sous observation. Que quelqu'un veille auprès de lui aujourd'hui, il en a besoin. On ne peut prévoir sa réaction s'il s'éveille tout seul dans une grande salle. Je ne veux plus qu'on prenne de risques avec lui.

— Je veillerai, vous pouvez compter sur moi. Dorénavant, j'aurai tout mon temps pour lui. Merci.

Et je me lève. L'infirmière fait de même.

Elle m'ouvre la porte et me précède dans un couloir.

Voilà Alain!

Aussi blanc que son drap!

À l'intérieur de son coude, un tube qui le relie à la bouteille de sérum suspendue à un poteau.

Il repose, en apparence indifférent au monde extérieur.

Tout ça est bouleversant!

Je sens des picotements dans les yeux!

La fatigue sûrement!

Une soudaine envie de prendre ce grand corps dans mes bras, de l'étreindre fortement, de lui dire: «Mon petit, je suis là maintenant, je serai toujours là pour toi. Tu m'as demandé quelque chose la première fois que tu m'as vu, aujourd'hui, je réponds oui.»

Un long sanglot monte dans ma gorge,

un long spasme!

Ça aura pris tout ce temps-là pour que je me décide!

Ça aura pris deux longs cris de désespoir pour que je bouge enfin!

Alain est étendu, terrassé, vaincu.

Abandonné? Plus jamais!

La mère tient la main de son enfant, sa tête repose sur l'avant-bras de son fils. Ses yeux sont fermés.

Je pense qu'elle dort, même dans une position aussi inconfortable.

Non, je me suis trompé. De longs spasmes secouent son échine. Elle pleure!

Toutes ses belles années perdues.

Toute son impuissance à communiquer avec son grand gars. Elle pleure sûrement autant sur elle-même que sur lui.

Je vais me chercher une chaise et je m'assois.

Ses frères!

Dorment-ils? Sont-ils aux aguets près du téléphone?

Je devrais les prévenir.

Ça sonne.

Un coup, deux coups. Bon! Ils se sont rendormis. Après trois, je raccroche.

— Oui.

La voix est celle de quelqu'un qui veille. Je ne me souviens plus de son nom.

— Tu es le frère d'[illegible] Dupuis?

— Oui, Éric.

— Éric, je t'annonce que ton frère est hors de danger. O.K. Ta mère se repose un peu. Ensuite, elle s'en ira chez vous.

— Est-ce qu'il va rester longtemps à l'hôpital?

— Non, juste aujourd'hui.

— Est-ce que tu... est-ce que vous... allez-vous vous occuper de lui?

— Oui, je te le promets.

Ce garçon avait compris le drame que vivait son frère. C'était sûrement un peu le sien.

— Maintenant, allez dormir, vous êtes rassurés. Toi aussi, occupe-toi de ton frère.

— Marc, il dort. Je l'ai couché dans le lit de maman.

Brave garçon qui connaît l'attachement de son frère pour sa mère!

— Parfait! Je vois que tu as pris le contrôle de la situation. Je retourne auprès de ton frère.

— Bernard?

— Oui?

— Laisse-le pas tomber...

Puis, plus bas:

— ... moi aussi, j'aimerais ça être ton ami!»

Cette fois-ci, l'émotion me gagne.

Ce n'est pas un fils que je vais attraper mais deux. On frappe de plus en plus à la porte de mon cœur.

Une petite rigole d'eau sur ma joue.

Du revers de la main, je m'essuie tout en cherchant un Kleenex.

Puis, en m'efforçant de rire:

— Je vais avoir du pain sur la planche avec vous autres. Bien oui, Éric! Et ça me fait plaisir! Va te coucher immédiatement.

— Merci, bonjour!

Ouf! Je crois bien que je n'aurai plus jamais le temps de m'ennuyer.

Je retourne auprès d'Alain.

Il n'a pas bougé et sa mère dort maintenant, toujours appuyée sur son fils.

Une tendresse inconsciente d'un fils pour sa mère!

Combien de temps suis-je resté prostré dans mes pensées?

C'est la faim qui me réveille!

Je descends à la cafétéria prendre un café et un sandwich.

J'en monte un à tout hasard pour Mme Dupuis.

Quand j'arrive près d'eux, elle n'est plus là.

Je la cherche des yeux.

Une infirmière me dit qu'elle est aux toilettes.

Lorsqu'elle revient, je lui offre le sandwich, qu'elle accepte, mais elle le mastique du bout des dents.

— Voulez-vous que j'aille vous conduire chez vous? Préférez-vous plutôt que j'aille m'occuper de vos deux autres garçons?

Elle me fait signe que non.

À quoi?

À une infirmière qui passe, elle demande combien de temps Alain va dormir.

«Il en a sûrement pour l'après-midi!»

— Vous m'avez offert de venir me conduire chez nous. Je suis prête. Allez-vous attendre qu'Alain se réveille? Il faut que vous lui parliez.

J'ai enfin sa bénédiction!

J'accepte avec empressement... mais pas trop, dans les circonstances.

Absence d'une demi-heure de l'hôpital.

J'achète le journal du matin pour occuper une partie de mon temps.

Lecture.

Attente.

La salle, autour de nous, s'est remplie peu à peu. Les malades affluent, les infirmières s'affairent. C'est un va-et-vient qui me distrait.

On devient terriblement voyeur à l'hôpital.

Alain commence à bouger.

Je mange une bouchée.

Vers trois heures de l'après-midi, il ouvre un œil.

J'ai peur de prendre sa main dans la mienne: il y a plein de gens autour de nous qui vaquent à leurs occupations.

Maintenant, il regarde autour de lui pour reconnaître les lieux et, tour à tour, son bras, les gens, moi.

Son front se rembrunit.

Je lui décoche mon plus beau sourire et je mets le doigt sur la bouche.

Il n'a pas besoin de parler, je dirai les choses: «Je vais m'occuper de toi, ta mère est d'accord.»

Je pense qu'il a compris mais il se rendort.

Espérons que c'est la sérénité.

Cinq heures! Réveil de nouveau!

Cette fois-ci semble la bonne.

Nos regards se croisent. «C'est fini, le cauchemar, Alain! Je vais toujours être là pour toi. Tu as ton nouveau père devant toi.»

Une larme silencieuse brille, que personne ne songe à essuyer.

— Quelle heure est-il?

— Cinq heures cinq minutes.

— Je me sens tout étourdi!

— C'est normal. Tu as perdu beaucoup de sang et tu n'as rien mangé.

Une infirmière s'approche et lui met un thermomètre dans la bouche.

— Pas de fièvre. As-tu faim?

— Je me sens faible.

— Un petit dessert au lait, ça te va?

Il fait signe que oui.

— Prends le temps de bien te réveiller. Je t'annoncerai une bonne nouvelle tantôt.

Il n'en faut pas plus pour piquer sa curiosité.

Je le vois qui fait des efforts pour se redresser sur ses oreillers. Il met plus d'énergie dans ses gestes.

Il veut se donner bonne contenance. Il respire bien fort, essaie de se tenir aussi droit que sa position peut le lui permettre.

— Monte la tête du lit avec la manivelle.

— O.K. Tu es prêt à entendre la bonne nouvelle?

— Oui. Vas-y.

— Je t'ai trouvé un emploi d'été.

— Ah oui? Où ça?

— Dans un club de golf! Tu ramasseras des balles et tu aideras à l'entretien des pelouses. Quand tu auras repris tes forces, tu t'y présenteras, ils vont t'indiquer ce que tu dois faire. C'est payé à l'heure, cinq dollars. Si tu travailles quarante heures dans une semaine, ça te fera deux cents dollars.

— Ça, c'est intéressant!

Il passe sa main libre dans ses cheveux et réfléchit profondément.

— Je pense que je devrai me faire couper les cheveux, hein?

— Je le pense aussi.

On lui apporte un petit bol de blanc-manger qu'il déguste lentement.

Il s'anime un peu plus.

Tranquillement, les joues reprennent leur couleur.

Il manifeste le désir d'aller uriner.

Arrimé au poteau qu'il promène avec lui, Alain vacille, encore étourdi.

Je le soutiens par les épaules.

Quand nous sommes de retour, une préposée s'affaire à replacer ses oreillers.

— C'est normal que tu te sentes faible. Mais tu vas voir, un grand gars comme toi, ça retombe vite sur ses pattes.

Elle lui pose des questions sur l'école, ses cours, ses activités.

Elle entretient la conversation pendant une bonne demi-heure. C'a donne le temps à Alain de reprendre ses esprits et à elle, de mesurer l'état de mieux-être de son patient. Brave femme!

Elle le considère un instant en silence.

— J'ai un de mes gars qui a une coupe de cheveux comme toi. Aimes-tu réellement ça?

— Bof! Une coupe en vaut une autre.

— Vous ne passez pas inaperçus, en tout cas.

— Peut-être! Mais à l'intérieur, on est toujours les mêmes. Il y a rien de changé. Les gens nous jugent seulement là-dessus: on est tous des pouilleux ou des voyous.

— Alors, pourquoi vous ne les faites pas couper?

— C'est ma façon à moi de les peigner, c'est tout. J'aime ça pour le moment.

— Est-ce que c'est si important que ça pour vous autres de vous démarquer?

— Oui...

Il fait une pause.

— ... Ça coûte moins cher que de le faire par des vêtements. Il y en a qui trouvent que c'est une provocation. Pas moi! Ce sont mes cheveux et j'ai le droit de faire ce que je veux avec.

— Ah, pour ça, tu as bien raison! Tu devrais voir la tête des gens de ma famille quand David (c'est le nom de mon garçon) vient faire un tour dans ma parenté. Il ne rate jamais son effet.

— Vous, est-ce que ça vous dérange?

— Pas vraiment! Disons que je n'aime pas me faire remarquer. Quand je me promène avec lui, c'est le contraire qui se produit. Dans le fond, ça m'amuse un peu. Du moment qu'il n'a pas trop les cheveux dans les yeux! Je ne voudrais pas qu'il soit obligé de porter des lunettes à cause de sa petite lubie.

— Ma mère me dit la même chose. Ben là, elle va être contente. Je viens de décider que j'allais me couper les cheveux.

— Je vais te présenter mon gars. Tu pourrais essayer de le convaincre.

— Non, c'est un choix personnel. Il va le faire quand il sera prêt.

— C'est bien vrai! Ça m'a fait plaisir de parler avec toi. Tu m'as l'air d'un garçon qui sait ce qu'il veut.

Un coup d'œil complice vers moi.

— Oui, je sais ce que je veux.

— Je te souhaite bonne chance dans la vie.

— Merci! La chance vient juste d'arriver.

Elle l'embrasse comme elle aurait embrassé son garçon.

Alain est un peu surpris: il n'est pas habitué aux manifestations de tendresse.

Une infirmière s'approche de nous.

— Est-ce que c'est une bonne nouvelle

pour toi? Tu peux sortir ce soir, si tu veux. Nous t'observons depuis tantôt et, avec ce qui est écrit dans ton dossier, nous avons décidé de te faire confiance... Organise-toi donc pour ne pas nous revenir!

— Oui. Merci.

Alain se tourne vers moi.

— C'est toi qui me ramènes chez nous, Bernard?

— Le taxi, c'est moi. Pour vous servir, monsieur. Tiens, voilà ton linge, enfin ce qui peut te servir de vêtement. Es-tu capable de t'habiller tout seul?

— Je prendrai mon temps mais j'y arriverai.

— Bravo! Je te reconnais. Tu es bien resté le même. Veux-tu qu'on téléphone à ta mère pour lui dire que tu rentres maintenant?

— Non. On va lui faire la surprise.

Alain s'habille assez rapidement et nous filons vers sa demeure.

Dans ma tête, une discussion s'engage: est-ce que j'aborde le sujet immédiatement ou si je remets ça à plus tard?

La prudence me conseille d'entreprendre cette discussion de fond plus tard, quand le jeune sera prêt. Mais je décide de passer outre.

— Je veux te dire, Alain, que je

n'approuve pas les moyens que tu as pris pour arriver à tes fins.

— Quelles fins?

— Ben... que je finisse par consentir à jouer le rôle de ton père.

— Tu penses vraiment que... que... je me suis... ouvert le poignet pour ça? Mais t'es débile ou quoi? T'as rien compris!

— Calme-toi!

— Veux-tu que je te dise pourquoi j'ai fait ça?

Il crie presque. Je regrette maintenant d'avoir abordé le sujet. J'aurais dû me taire.

— Énerve-toi pas comme ça!

— Je vais te le dire mais je ne veux pas qu'on en discute. Pas ce soir! Je suis fatigué! Quand t'as quatorze ans, que la vie t'écœure, que tu vois pas le bout de t'en sortir, que t'as pas d'amis, pas de blonde, pas de père, que personne veut t'écouter, personne veut t'aimer pour toi sans vouloir te changer, alors tu te dis que tu vivras certainement pas quatre-vingts ans comme ça. C'est comme les nuits d'hiver au pôle nord. Je me suis dit qu'il fallait être courageux maintenant et prendre une décision finale, une fois pour toutes.

— T'appelles ça du courage? Moi, j'appelle ça de la fuite!

— Ça dépend de quel point de vue on se place. Je t'ai dit que j'étais fatigué et j'ai pas le goût d'en discuter ce soir.

Je le regarde.

Tête de pioche, me dis-je.

Dans quel guêpier me suis-je fourré?

CHAPITRE 6

La vie a suivi son cours.

Le reste se laisse deviner.

Les gens heureux n'ont pas tellement d'histoire.

Comment ça? Les gens heureux n'ont pas tellement d'histoire?

Il y en a une histoire à raconter et moi, Jeanne Dupuis, née Quevillon, je vais le faire.

Quand on reste seule à élever trois garçons, rien n'est facile et les événements heureux, on les compte sur le bout des doigts.

Ce n'est pas tout à fait ce dont j'avais rêvé quand j'étais jeune.

Quand je dis ça devant mes garçons, ils me regardent, incrédules.

Bien oui! J'ai eu huit ans, douze et quatorze ans comme eux. Bien oui, je suis allée à l'école comme eux! Bien oui, j'ai fait des rêves qui ne se sont pas réalisés.

Les filles rêvent toutes, secrètement ou pas, du prince charmant, du gars beau et gentil qui les transportera d'amour sur les ailes de la vie.

Je suis tombée de haut quand mon prince charmant s'est avéré un ivrogne invétéré qui n'avait que la télévision et la bouteille en tête!

Les ailes de l'amour se sont brûlées au feu des années!

Alors, j'ai pris en charge les trois gars, seule.

Comme je n'ai pas fréquenté l'école très longtemps, je n'ai pas pu trouver un emploi très payant. J'ai toujours eu du mal à boucler le budget et il a fallu apprendre à se serrer la ceinture.

Pendant un certain temps, j'ai essayé de vivre avec un autre homme. Ça n'a pas fonctionné, c'était pire encore: il s'était mis en tête de reprendre l'éducation des garçons. Ils ne lui ont jamais pardonné, parce qu'il ne les aimait pas. Il le faisait seulement pour avoir la paix.

Alors je m'en suis séparé.

Après ou en même temps, les relations

entre Alain et moi se sont détériorées, de plus en plus.

Elles n'ont jamais été au beau fixe.

Alain n'est pas un garçon facile à élever: il s'isole, il s'enfuit ou il vous regarde sans dire un mot; il vous juge.

Et son jugement est impitoyable envers les autres. Il épie les moindres gestes, les moindres réactions, il les analyse.

Je me sens constamment surveillée par mon enfant. Il garde tout en dedans mais sa figure montre qu'il n'approuve rien.

S'il émettait à voix haute son jugement, on pourrait en discuter, on pourrait faire des compromis.

Non! Il ne veut pas le faire!

Lorsque le dénommé Bernard Trudel est arrivé dans les parages, la communication entre Alain et moi était au point mort.

Ça me faisait d'autant plus de peine que je voyais bien qu'Éric s'apprêtait à marcher dans les bottines de son frère.

Comment faire pour l'éviter?

Alors, quand Alain racontait tout ce qu'il vivait avec ce monsieur, les yeux de son frère s'écarquillaient et brillaient d'envie et moi... je brûlais de rage!

De quoi se mêlait-il, cet intrus?

Comment arrivait-il à faire rire mon fils quand ici, il était l'enfant le plus secret de la terre? Comment pouvait-il lui arracher des paroles ou même des conversations complètes quand ici, il ne desserrait pas les dents?

Moi, j'étais sa mère, j'avais tout fait pour lui et je n'obtenais jamais un sourire, jamais un merci, jamais une parole d'encouragement.

Lui, il n'avait qu'à se présenter et mon fils lui ouvrait grande la porte de lui-même!

Pis encore, il se confiait à lui!

C'en était trop!

Et c'est vers lui qu'il s'est tourné après avoir ingurgité une bouteille de médicaments.

D'ailleurs, c'est peut-être à cause de lui qu'il a fait ça!

Sinon, pourquoi serait-il allé le trouver?

Mais non, je divague sûrement, la colère m'aveugle.

Pourquoi un enfant de cet âge-là, qui mène une existence semblable à celle des autres, décide-t-il tout à coup qu'il en a assez ?

Tout le monde connaît des périodes creuses!

Quand je l'ai vu, ce Bernard, à l'hôpital, ce matin-là, j'ai vu rouge. Il n'allait certainement pas empoisonner mon existence encore bien longtemps! J'ai été ferme et je crois qu'il a compris.

On ne l'a pas revu!

Mais ce fut la pire semaine de ma vie.

Alain m'en voulait tellement qu'il ne m'a pas adressé la parole de la semaine! Il ne mangeait pas avec nous. Il s'arrangeait pour ne pas être dans la même pièce que nous.

Ses frères ne comprenaient rien à ce qui se passait. Pourtant, Éric n'aurait pas demandé mieux que de l'aider.

Pas un mot! Le mutisme le plus complet! Personne ne réussissait à lui arracher un mot. C'était intenable!

J'étais au bord de craquer. Je pense que j'aurais cédé devant n'importe quoi qui aurait ramené un semblant de paix ou de vie normale dans la maison.

Le téléphone a sonné à ce moment-là.

C'était de nouveau Bernard! Le sauveur Bernard qui annonçait qu'il avait trouvé un emploi d'été pour Alain.

Ce n'est pas tout! Il plaidait une cause: celle de pouvoir servir de père à mon fils!

Comment décrire ce que j'ai ressenti? Les mots me manquent.

Était-ce de la rage, de la honte, de

l'humiliation, du dégoût? Sûrement une peine immense!

Un constat d'échec!

Voilà ce qu'il me disait.

Je n'avais pas réussi avec mon fils et lui s'offrait pour le faire à ma place...

Il me faisait prendre conscience qu'un père dans la vie d'un garçon, c'est terriblement important! Plus que tout au monde! Il me disait que même la mère la mieux intentionnée n'arriverait jamais à combler ce vide.

Comment réagir à ça?

C'était vrai et faux en même temps!

Je n'avais pas de leçon à recevoir de quelqu'un qui n'avait jamais eu d'enfants lui-même!

Mais, en même temps, c'était une proposition séduisante: que quelqu'un d'autre prenne la relève momentanément.

Alors, j'ai cédé!

Il y avait tellement de supplication dans sa voix et moi, j'étais au bout de mon rouleau!

Dans la nuit, Alain a craqué, lui aussi!

Faut-il qu'il en ait eu vraiment assez!

Faut-il que pour lui, personne n'ait valu la peine de vivre!

Pas même moi!

Pas même ses frères!
Pas même Bernard!
Ou alors, j'ai rien compris!
La leçon est dure!
Mon fils de quatorze ans me dit que j'ai erré.
Un autre constat d'échec!
Lui aussi!
Il me fait comprendre qu'il a sa vérité à lui, qu'il faut que je le respecte, que je l'accepte tel qu'il est, même s'il n'est pas le modèle d'enfant que j'aurais souhaité.
Pas facile d'accepter les autres tels qu'ils sont, avec leurs exigences, avec leurs besoins qui contrecarrent les nôtres!
Mais je n'ai pas le choix: ils ont dû m'accepter telle que je suis eux aussi!
Maintenant, je le vois heureux, plus épanoui.
Tant mieux!
Il faut que je reconnaisse que Bernard joue bien son rôle, dans une juste dose. Il a le sens de la mesure et sait se retirer quand les circonstances l'exigent et réapparaître quand le besoin s'en fait sentir.
Il a commencé tout feu, tout flamme, mais Alain ne s'en laisse pas imposer.
Il a du caractère et ne cède pas facilement de ses positions.
La fin de l'été se déroule bien.

Mon fils remplit très bien son emploi, mieux que je l'aurais pensé.

Il dépose la presque totalité de ses payes en vue d'un projet qu'il tait pour le moment.

Bientôt, l'ordinateur de son grand ami n'aura plus de secrets pour lui: on apprend vite à cet âge-là.

Je crois que c'est ça qu'il veut s'acheter avec son argent.

Ses frères l'accompagnent à l'occasion. Évidemment, ils en reviennent toujours très emballés. Bernard leur a acheté des jeux et ils pourraient passer des journées entières devant l'ordinateur. Ils ont les yeux encore brillants quand ils me racontent leurs exploits et leurs points accumulés.

Ça me donne quelques heures de répit.

Je l'apprécie beaucoup.

Fin août.

Alain nous annonce qu'il sort ses économies de la banque pour s'acheter... une moto. Une 250cc.

— Il n'en est pas question!

— C'est mon argent. J'ai le droit de faire ce que je veux avec.

— C'est vrai, mais il te faut un permis et je ne signerai pas.

— Pourquoi?

— C'est trop dangereux. Tu vas aller te tuer avec un engin pareil.

— Maudit que t'es bornée. Tous les gars de mon âge en ont une.

— C'est pas vrai! T'inventes ça pour me faire céder mais il n'en est pas question.

— On a jamais le droit de rien faire avec toi. Faudrait tout le temps rester dans la maison et rien dire. Je te dis que ça fait des jeunesses plates.

— Écoute, Alain, tu penses pas ce que tu dis. Viens, assis-toi, on va discuter.

— La discussion avec toi, c'est pas possible. Ça veut dire que tu vas parler pour me donner tes arguments et moi, je vais juste avoir le droit de me taire. Ben ça marchera pas tout le temps, ma vieille. Je suis plus un bébé et tu me traiteras plus comme ça. As-tu compris?

— Tête de mule, tu veux jamais rien savoir des autres.

— Je dois tenir ça de quelqu'un de la famille. Toi, par exemple?

— Sois pas impoli en plus.

— C'est toi qui as commencé.

— O.K. T'arrêtes ça là et tu te la fermes immédiatement!

— Non. Je m'en vais chez Bernard. Lui, il me comprend. Tu vas voir, il va m'approuver. Lui, il sait ce que c'est être jeune.

Et il claque la porte.

Je sais ce qu'il me reste à faire.

Qu'il aille chez Bernard. Je vais lui téléphoner.

Pas de réponse!

Dix heures!

Alain n'est pas encore rentré. D'habitude, il donne signe de vie.

«Mon Dieu, j'espère qu'il ne lui est rien arrivé!»

Dix heures trente!

Toujours pas de nouvelles!

Onze heures!

Je n'y tiens plus. Je téléphone à Bernard pour m'assurer qu'il est bien chez lui.

Il me répond qu'Alain n'est pas chez lui. Sa voix est étrange.

— Que s'est-il passé?

— Alain et moi, on s'est chicanés.

— À propos de la moto?

— Oui. J'ai essayé de lui faire entendre raison. Il m'avait dit que vous ne vouliez pas.

— Il a claqué la porte?

— C'est à peu près ça.

— Il est toqué comme un mulet. Quand il a une idée en tête, on ne peut pas lui ôter.

— Oui, je le sais. Mais j'aurais aimé pouvoir en discuter avec lui.

— Les explications des autres, il veut pas les entendre quand elles viennent en désaccord avec les siennes. Vous savez pas où il est? Il est onze heures!

— Ce n'est pas catastrophique. Laissez-le courir. Quand il sera épuisé, il reviendra bien.

— Mais si... il rentre pas?

— On avisera quand la situation se présentera.

— ... C'est la première fois que vous vous sentez pas... sur la même longueur d'ondes?

— Oui... et ça me dérange un peu.

— Vous pensiez que le métier de père allait être de tout repos?

— Écoutez, j'avais bien imaginé qu'on s'écorcherait un jour mais pas sur une niaiserie pareille. Peut-être que je me suis montré trop confiant! Ça devait arriver un jour ou l'autre!

— Je peux vous dire qu'Alain a réagi exactement comme si vous aviez été son père. Au plus petit refus, bang! Il ne tolère pas qu'on lui dise non.

— Ça s'apprend comme toute autre chose. Je ne désespère pas.

— Vous en parlez bien calmement. Je

suis inquiète, moi. Il est capable de tout, vous le savez.

— Il faut attendre. On n'a pas le choix. Vous n'allez quand même pas appeler la police... comme quand il avait neuf ans!

Je sursaute à ce souvenir.

De mon subconscient jaillit l'image de mon fils, petit garçon penaud, revenant à la maison accompagné d'un monsieur qui s'appelait Bernard.

Je m'exclame:

— Écoutez, Madame Dupuis, je raccroche. Je viens d'avoir une idée.

— Dites-moi laquelle.

— Le souvenir d'un enfant qui cherchait un père dans la rue.

— J'y comprends rien.

— Bonsoir.

Minuit!

La sonnerie du téléphone retentit.

C'est Alain!

Il me dit qu'il ne rentre pas, qu'il couche chez Bernard et... qu'il s'excuse.

Le lendemain, je vois arriver un Alain boudeur, les mains dans les poches, qui ronchonne toute la journée.

Vivement que commence l'école!

Le soir de la rentrée scolaire, il nous annonce, en fait surtout à ses frères, qu'il vient de trouver une aubaine extraordinaire, l'occasion de sa vie qu'il ne peut pas rater: un ordinateur, un moniteur, une imprimante et des logiciels. Et tout ça pour la somme dérisoire de mille deux cents dollars!

— Tu n'as pas tout cet argent-là!

— Bernard va m'avancer ce qui me manque et je vais lui remettre en travaillant pour lui.

C'est la fête chez nous!

Alain devient le héros incontesté de ses frères. C'est beau de les voir tout excités autour de lui.

Mon grand reprend la place qui lui revient dans la famille!

Et dire qu'il y a trois mois, on m'aurait décrit cette scène par anticipation, je ne l'aurais jamais crue possible!

CHAPITRE 7

— Bernard, je te présente Lucille.

— Enchanté, Lucille.

Et je tends la main à une jeune fille un peu rondelette.

Quel contraste avec Alain!

Une superbe tignasse rousse frisée en bas des épaules, le nez retroussé, les taches de rousseur, les yeux pétillants et moqueurs, les belles grandes jambes, elle est agréable à détailler.

Et quelle poignée de main! Ça sent l'énergie et ça donne le goût d'avoir de nouveau seize ans!

Juste pour la voir rougir...

— Tu as du goût, mon Alain.

Ça ne rate jamais: ... rouge jusqu'à la racine des cheveux. Mais elle reprend son aplomb rapidement.

— Alain me parle toujours de vous. Vous êtes quasiment son modèle.

À mon tour de rougir: elle me remet la monnaie de ma pièce. Décidément, elle me plaît bien!

Alain s'est un peu isolé de nous et surveille chacune de mes mimiques. Je comprends qu'il vient faire passer un test à la Lucille: elle doit m'agréer.

Je me surprends à me demander ce qu'il adviendrait d'elle si elle ne me convenait pas.

Bizarre, cette situation!

Mais la question ne se pose pas: elle passe son examen haut la main.

Alain est heureux.

Elle tient bien la conversation et ne se fait pas prier pour donner son opinion sur tous les sujets. Elle est belle quand elle se passionne pour un avis.

J'aiguillonne la conversation sur la situation politique et lui tends des articles de presse.

Je prends le jeune homme à part.

— C'est ta blonde?

— Oui. Est-ce qu'elle te plaît?

— Tu peux en être sûr!

— Elle est en quatrième secondaire avec moi; à peu de choses près, on a les mêmes cours. Elle est forte en sciences et elle me donne un coup de main.

— Chanceux! Elle a l'air solide. Ta mère, qu'est-ce qu'elle en pense?

— Je lui ai pas encore présentée. Je tenais à te la montrer avant.

— Ah! Ta mère va certainement beaucoup l'aimer... J'y pense. Êtes-vous libres ce soir?

Les deux se consultent du regard.

— Ben oui!

— Je vous invite tous les deux à souper. Mon travail attendra bien une couple d'heures... Prévenez vos parents et on part immédiatement.

Soirée très agréable!

Mais je sens qu'il y a un message que je n'arrive pas à décoder.

À la fin du repas, Alain me glisse à l'oreille qu'il aimerait bien me parler... tout seul.

La puce à l'oreille!

De quoi s'agit-il?

Le temps d'aller conduire Lucille chez elle, les petits mots étouffés à côté de l'automobile, et je me retrouve seul avec lui.

— Bon, je suis tout ouïe!

— Je voulais te dire... comment dire... que maintenant... ah!, aide-moi donc un peu!

— Je ne peux pas, je ne sais même pas où tu veux en venir.

— Écoute, ah, c'est difficile à expliquer... ben... tu vas me voir moins souvent!

— Ah, oui! Pourquoi?

— Le fais-tu exprès? Tu comprends pas! J'ai une blonde!

— Puis après!

— Je vais lui consacrer beaucoup de mon temps. Je la trouve tellement belle, tellement fine, tellement...

— Mais t'es en amour, toi!

— C'est ça que j'essaie de te dire depuis tantôt!

— Ah! O.K. Alors l'ordinateur, on en mange moins et bien d'autres choses aussi.

— C'est ça! Je veux pas la perdre cette fille-là! Je veux avoir plein d'attentions pour elle. Je veux me consacrer à elle à temps plein.

— Tu penses pas que t'es un peu vite en affaire?

— Tiens, la morale qui revient.

— Je ne te fais pas la morale. Je te dis seulement de ne pas mettre tous tes œufs dans le même panier.

— Qu'est-ce que ça veut dire ça?

— De ne pas laisser tomber tout le monde à cause d'une fille. Le jour où elle te laissera, tu n'auras plus personne autour de toi.

— Pourquoi elle me laisserait?

— Je ne sais pas, moi! Ce sont des choses qui arrivent. Ne fais pas celui qui ne veut rien entendre.

— T'es jaloux!

— Alain, je te défends bien de penser une chose pareille. Au contraire, je suis très heureux pour toi. Ta Lucille, elle mérite bien qu'on lui consacre du temps.

— Bon! Là, t'as compris! Alors, je voulais te dire merci pour tout ce que tu m'as donné. Sans toi, je sais très bien que je m'en serais jamais sorti.

— Bof! Fais-toi un peu plus confiance. Tu aurais survécu, peut-être un peu plus écorché, c'est tout!

— Prends donc les mercis quand ils passent. Tu sais très bien quel rôle important t'as joué dans ma vie. Je t'en ai fait baver. Ça n'a pas été toujours rose avec moi. Je pense que je me suis fait les griffes sur toi, hein. À ta place, moi, des fois, je l'aurais envoyé promener, ce petit morveux-là qui m'arrachait toute ma belle tranquillité. Mais j'ai mis un peu de piquant dans ta vie, avoue-le. Sans moi, ça aurait été plate, n'est-ce pas?

— Tu parles comme si tu t'en allais pour toujours.

— Ben non! Sauf que je me sens... j'ai le goût... non... j'ai l'impression de... tourner la page. Le petit gars, c'est fini! Comprends-tu?

— T'as vieilli tout d'un coup?

— Ne te moque pas de moi!

— Ça va, Alain, je vois ce que tu veux dire. La première blonde, c'est important dans la vie d'un homme!

— Je veux la... mériter tout le temps, tu saisis?

— Oui.

Ce que je comprends surtout au-delà des mots, c'est qu'on aura moins besoin de mes services dorénavant.

Difficile à accepter!

J'imagine qu'être père, c'est ça!

Être capable de prendre ses distances par rapport à son gars, le regarder grandir, prendre son envol, et se dire pourtant qu'on a tout fait pour qu'il en arrive là avec tout ce qu'il faut en poche et dans le cœur pour bien conduire sa vie tout seul!

Mais il n'a que seize ans!

Et c'est bien jeune!

Je n'ai pas le goût de retrouver ma solitude, mes vieilles habitudes de pantouflard que j'avais mises au rancart.

J'ai l'impression qu'un immense vide se creuse en moi!

Me replonger dans le travail à corps perdu? À quoi ça sert?

Maintenant que j'ai connu le sentiment d'être un peu utile à quelqu'un, je ne veux plus reprendre ma vie d'égocentrique.

Je regarde Alain: lui, il est tourné résolument vers l'avenir, les yeux déjà ailleurs, les pieds et les mains trépignant déjà d'impatience.

— Bernard, c'est tout ce que je voulais te dire!

— Tu reviendras? T'es toujours le bienvenu.

— Ben oui! Je m'en vais pas pour toujours! Tu m'inviteras avec ma blonde.

— Compris. Allez, à bientôt!

La poignée de main qui ressemble à un signal de coupure!

Un enfant qui n'en est plus un!

Un adolescent qui rêve à son tour d'être adulte et d'avaler tout à cent, deux cents kilomètres à l'heure!

Je regarde en arrière: ces deux ans ont passé tellement vite!

Je deviens sentimental en vieillissant!

Bonne chance, mon vieux!

Tranquillement, je reviens à mon appartement. Secoue-toi un peu!

Tandis que je mets la clef dans la serrure, le téléphone retentit.

— Allô!

— Bernard? C'est Jeanne Dupuis! J'ai un service à vous demander. Êtes-vous libre présentement?

Plus qu'elle ne le croit!

— Oui, oui, qu'est-ce que je peux faire pour vous?

— Éric est au poste de police.

— Vous voudriez que j'aille le chercher? Qu'est-ce qu'il a fait?

— Le policier m'a dit qu'il était avec une gang, pis qu'ils ont volé une voiture...

DANS LA MÊME COLLECTION

Contes pour tous

1 LA GUERRE DES TUQUES
Danyèle Patenaude et Roger Cantin

2 OPÉRATION BEURRE DE PINOTTES
Michael Rubbo

3 BACH ET BOTTINE
Bernadette Renaud

4 LE JEUNE MAGICIEN
Viviane Julien

5 C'EST PAS PARCE QU'ON EST PETIT QU'ON PEUT PAS ÊTRE GRAND
Viviane Julien

6 LA GRENOUILLE ET LA BALEINE
Viviane Julien

7 LES AVENTURIERS DU TIMBRE PERDU
Michael Rubbo

8 FIERRO… L'ÉTÉ DES SECRETS
Viviane Julien

9 BYE BYE CHAPERON ROUGE
Viviane Julien

10 PAS DE RÉPIT POUR MÉLANIE
Stella Goulet

11 VINCENT ET MOI
Michael Rubbo

12 LA CHAMPIONNE
Viviane Julien

Sélection «Club la Fête»

LE MARTIEN DE NOËL
Roch Carrier

À partir de 8 ans

1 GASPARD OU LE CHEMIN DES MONTAGNES
Christiane Duchesne

2 BIBITSA OU L'ÉTRANGE VOYAGE DE CLARA VIC
Christiane Duchesne

3 MILLE BAISERS, GRAND-PÈRE
Stella Goulet

4 PAS D'HIVER! QUELLE MISÈRE!
Pierre Guénette

5 LE 25e FILS
Bernard Tanguay

6 LES IDÉES FOLLES
Ken Roberts

7 L'ORDINATEUR ÉGARÉ
Pierre Pigeon

8 MYSTÈRE ET BOULE DE GOMME
Jacques Pasquet

9 LE GRAND TÉNÉBREUX
Pierre Pigeon

10 L'ARMÉE DU SOMMEIL
Gilles Gagnon

11 MÉLI-MÉLO
Jacques Pasquet

12 LES PRISONNIERS DE MONSIEUR ALPHONSE
Céline Cyr

13 TROIS ALLERS DEUX RETOURS
Pierre Moessinger

14 DES BLEUS ET DES BOSSES
Denis Desjardins

15 JACOB DEUX-DEUX ET LE DINOSAURE
Mordecai Richler

16 UN CHIEN, UN VÉLO ET DES PIZZAS
Cécile Gagnon

17 MACK LE ROUGE
Yves Beauchesne et David Schinkel

35 UNE HISTOIRE À FAIRE JAPPER
Yves Beauchemin

36 GRANULITE
François Gravel

À partir de 14 ans

---

1 PELLICULES-CITÉS
Jacques Lazure

2 UN JARDINIER POUR LES HOMMES
Nicole Labelle-Ruel

4 SIMON YOURM
Gaétan Lebœuf

5 NOCTURNES POUR JESSIE
Denis Côté

6 J'AI BESOIN DE PERSONNE
Reynald Cantin

7 VOL DE RÊVES
Paul de Grosbois

8 DES MILLIONS POUR UNE CHANSON
André Vanasse

9 CASSIOPÉE OU L'ÉTÉ POLONAIS
Michèle Marineau

10 L'ÉTÉ DES BALEINES
Michèle Marineau

11 LE DOMAINE DES SANS YEUX
Jacques Lazure

12 BOUDIN D'AIR
Gaétan Lebœuf

13 LE SECRET D'ÈVE
Reynald Cantin

14 LE CHOIX D'ÈVE
Reynald Cantin

Collection Clip

1 LA PREMIÈRE FOIS TOME 1
Collectif

2 LA PREMIÈRE FOIS TOME 2
Collectif

3 SANS QUEUE NI TÊTE
Jacques Pasquet

4 N'AJUSTEZ PAS VOS HALLUCINETTES
Jean-Pierre April

5 LE MARIAGE D'UNE PUCE
Mimi Barthelemy
en collaboration avec Cécile Gagnon

Tales for All – Montréal Press

2 THE PEANUT BUTTER SOLUTION
Michael Rubbo

3 BACH AND BROCCOLI
Bernadette Renaud

4 THE YOUNG MAGICIAN
Viviane Julien

5 THE GREAT LAND OF SMALL
Viviane Julien

6 TADPOLE AND THE WHALE
Viviane Julien

7 TOMMY TRICKER AND THE STAMP TRAVELLER
Michael Rubbo

8 SUMMER OF THE COLT
Viviane Julien

9 BYE BYE RED RIDING HOOD
Viviane Julien

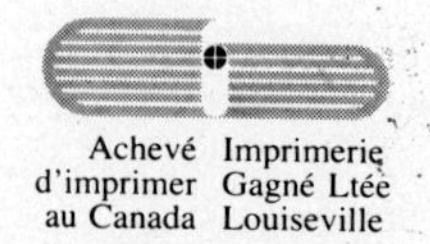
Achevé d'imprimer au Canada
Imprimerie Gagné Ltée Louiseville